Poche

Bled

Conjugaison

Daniel BERLION
Inspecteur d'académie

hachette
ÉDUCATION

Conception graphique

Couverture : Mélissa CHALOT

Intérieur : Audrey IZERN

Composition et mise en page : Médiamax

hachette s'engage pour l'environnement en réduisant l'empreinte carbone de ses livres. Celle de cet exemplaire est de : **400 g éq. CO₂** Rendez-vous sur www.hachette-durable.fr

PAPIER À BASE DE FIBRES CERTIFIÉES

© HACHETTE LIVRE 2022, 58 rue Jean Bleuzen, CS 70007, 92178 Vanves Cedex.
ISBN 978-2-01-718386-0.
www.parascolaire.hachette-education.com

Achevé d'imprimer en juin 2023 en Espagne par Unigraf - Dépôt légal: juillet 2022 - Édition 02

SOMMAIRE

Avant-propos 5

Bases de la grammaire du verbe et de la conjugaison ... 6

1 Le verbe 6
2 Les formes verbales 7
3 Le présent de l'indicatif 8
4 L'imparfait de l'indicatif 9
5 Le futur simple 9
6 Le passé simple 10
7 La formation du participe passé 10
8 Le participe passé avec *être* 11
9 Le participe passé des verbes pronominaux 11
10 Le participe passé avec *avoir* 12
11 Le participe présent et l'adjectif verbal 13
12 Le conditionnel 14
13 Le subjonctif 15
14 L'impératif 16
15 Verbes en *-yer*, *-eler* et *-eter* 17
16 Verbes en *-cer*, *-ger* et autres verbes particuliers 18
17 Ne pas confondre : *ai – aie – aies – ait – aient – es – est* 19
18 Distinguer le participe passé en *-é*, l'infinitif en *-er*
   et la forme verbale en *-ez* 19

Trouver la conjugaison d'un verbe 20

Liste des 83 verbes types 21

Tableaux des verbes types 22

Index des verbes 105

AVANT-PROPOS

Avec **Conjugaison en poche**, nous vous proposons un outil complet et pratique, qui vous donne dans toute situation d'expression écrite ou orale, les réponses à vos questions sur la façon de conjuguer et d'accorder les verbes.

■ Les fiches 1 à 18 (pages 6 à 19) rappellent les règles et les principes de base de la grammaire du verbe et de la conjugaison. Vous pouvez les lire en introduction aux tableaux pour repérer les principales difficultés de la conjugaison et éviter ses pièges, ou vous y reporter ponctuellement pour trouver une aide sur une question précise.

■ Les 83 tableaux de conjugaison types (pages 22 à 104) constituent les modèles auxquels peuvent être rattachés tous les verbes du français, chaque modèle présentant les mêmes variations du radical et les mêmes terminaisons. Le tableau donne la conjugaison complète du verbe à tous les temps et tous les modes, avec un repérage couleur des difficultés particulières.

■ L'index de plus de 6 000 verbes (pages 105 à 160) vous indique le numéro du modèle de conjugaison type de chaque verbe.

Nous espérons que cet ouvrage vous permettra de progresser, de gagner en confiance et d'améliorer, au quotidien, votre expression écrite ou orale.

Daniel BERLION

1. LE VERBE

Le verbe est **l'élément essentiel de la phrase** : il indique une action, un état, une intention.

L'INFINITIF

Lorsqu'ils ne sont pas conjugués, les verbes se présentent sous une forme neutre : **l'infinitif**.

parler – jouer – finir – faire – croire – pouvoir – prendre

LE RADICAL ET LA TERMINAISON D'UN VERBE

● Un verbe se compose d'un **radical** et d'une **terminaison** (ou désinence).

cherch-er
radical terminaison

nous cherch-ons
radical terminaison

réfléch-ir
radical terminaison

tu réfléch-issais
radical terminaison

● Pour certains verbes, le radical reste **le même** pour toutes les formes verbales.

je ris – nous riions – ils riront – il faut qu'elle rie – ris – j'ai ri

● Pour d'autres verbes, le radical peut **varier** d'une forme verbale à l'autre.

je vais – nous allons – elle ira – il faut que tu ailles

LES TROIS GROUPES DE VERBES

● **Le 1er groupe** : tous les verbes (sauf *aller*) dont l'infinitif se termine par *-er*.

chercher – trouver – parler – appeler...

● **Le 2e groupe** : les verbes dont l'infinitif se termine par *-ir*, et qui intercalent l'élément *-ss-* entre le radical et la terminaison, pour certaines formes conjuguées.

réunir (réunissant – nous réunissons) – agir (agissant – elle agissait)...

● **Le 3e groupe** : tous les autres verbes.

perdre – battre – apparaître – revoir – courir (on ne dit pas « nous courissons »)...

L'ACCORD DU VERBE

Le verbe s'accorde en personne et en nombre avec son sujet qu'on trouve en posant la question « Qui est-ce qui ? » (ou « Qu'est-ce qui ? ») devant le verbe.

Les spectateurs quittent la salle.

Qui est-ce qui quitte ?   les spectateurs → 3e pers. du pluriel

Dans le groupe nominal sujet, il faut toujours chercher **le nom** qui commande l'accord.

Les spectateurs du premier rang quittent la salle.

Qui est-ce qui quitte ?   les spectateurs (du premier rang) → 3e pers. du pluriel

2. LES FORMES VERBALES

Les formes verbales varient selon les **personnes**, les **modes**, les **temps**.

LES PERSONNES

- Il y a trois personnes du singulier et trois personnes du pluriel.

    je – tu – il / elle / on   nous – vous – ils / elles

- La terminaison de la deuxième personne du singulier, pour tous les verbes, pour tous les temps, est « *s* ».

Exceptions :

– Les verbes *vouloir, pouvoir, valoir* au présent de l'indicatif.

    vouloir : tu veux   pouvoir : tu peux   valoir : tu vaux

– Le présent de l'impératif pour tous les verbes du 1er groupe et quelques verbes du 3e groupe (*ouvrir, offrir, souffrir, cueillir*).

    Marche plus vite.   Respire lentement.   Ouvre la porte.   Offre-lui des fleurs.

LES MODES

- **L'indicatif** : action dans sa réalité. (voir pp. 8 à 10)

    Il lit ce roman.   Il lisait ce roman.

- **L'impératif** : action sous la forme d'un ordre, d'un conseil, d'une recommandation. (voir p. 16)

    Lis ce roman !   Lisez ce roman !

- **Le subjonctif** : action envisagée ou hypothétique. (voir p. 15)

    Il faut qu'il lise ce roman.

- **Le conditionnel** : action éventuelle qui dépend d'une condition. (voir p. 14)

    S'il en avait le temps, il lirait ce roman.

LES TEMPS

- **Les temps** permettent de se situer sur un axe temporel : **passé, présent, futur**.

    hier → je marchais   aujourd'hui → je marche   demain → je marcherai

- **Les temps simples** : formés sans auxiliaires.

    je cherche – nous cherchions – elles chercheront

- **Les temps composés** : formés à l'aide d'un auxiliaire (*avoir* ou *être*) qui prend les marques du mode et du temps, suivi du participe passé du verbe conjugué.

    j'ai cherché – nous avions cherché – ils auront cherché

- **La majorité des verbes** se conjuguent avec l'auxiliaire *avoir*.

- Se conjuguent avec l'auxiliaire *être* :

– **Quelques verbes intransitifs**.

    aller, arriver, descendre, naître, mourir, entrer, monter, tomber, retourner, rester, venir, sortir, partir...

– **Les verbes pronominaux**.

    Il s'est mordu la langue.   L'ouvrier s'était protégé avec un casque.

3. LE PRÉSENT DE L'INDICATIF

FORMATION

Les formes du présent varient selon le groupe auquel appartient le verbe.

• **1er groupe** : infinitif en -er. (→ Tableaux 3 à 19)
Radical du verbe + -e, -es, -e, -ons, -ez, -ent.

> je joue – tu joues – il joue – nous jouons – vous jouez – elles jouent

• **2e groupe** : infinitif en -ir. (→ Tableaux 20 et 21)
Radical du verbe + -s, -s, -t, -ons, -ez, -ent.
Pour les personnes du pluriel, on intercale l'élément « -ss- » entre le radical et la terminaison.

> j'agis – tu agis – il agit – nous agissons – vous agissez – elles agissent

• **3e groupe** : infinitif en -ir, -oir, -re.
– Radical du verbe + -s, -s, -t, -ons, -ez, -ent. (→ Tableaux 23, 25 à 28, 32 à 43, 51, 57, 60, 63, 67, 69, 70 à 82)

> je ris – tu ris – il rit – nous rions– vous riez– elles rient

– Radical du verbe + -s, -s, - , -ons, -ez, -ent. (→ Tableaux 52 à 56, 58 et 59)

> j'attends – tu attends – il attend – nous attendons – vous attendez – elles attendent

– Radical du verbe + -x, -x, -t, -ons, -ez, -ent. (→ Tableaux 44 à 47)

> je peux – tu peux – il peut – nous pouvons – vous pouvez – elles peuvent

– Radical du verbe + -e, -es, -e, -ons, -ez, -ent. (→ Tableaux 29, 30, 31)

> j'ouvre – tu ouvres – il ouvre – nous ouvrons – vous ouvrez – elles ouvrent

CAS PARTICULIERS

• Certains verbes (et leurs dérivés) perdent la dernière lettre de leur radical pour les personnes du singulier.

vivre	je vis	tu vis	on vit	(→ Tableau 71)
mettre	je mets	tu mets	il met	(→ Tableau 63)
battre	je bats	tu bats	elle bat	(→ Tableau 62)
dormir	je dors	tu dors	il dort	(→ Tableau 22)
sentir	je sens	tu sens	on sent	(→ Tableau 22)
partir	je pars	tu pars	elle part	(→ Tableau 22)
sortir	je sors	tu sors	il sort	(→ Tableau 22)
mentir	je mens	tu mens	elle ment	(→ Tableau 22)

• Pour les verbes terminés par -aître à l'infinitif – ainsi que *plaire* –, on conserve l'accent circonflexe quand le « i » du radical est suivi d'un « t ».

paraître	je parais	tu parais	il paraît	(→ Tableau 64)

4. L'IMPARFAIT DE L'INDICATIF

FORMATION

- Radical du verbe + *-ais, -ais, -ait, -ions, -iez, -aient*.

    je marchais – il descendait – nous plaisions – ils parlaient

- Mais pour les verbes du 2ᵉ groupe, on intercale l'élément « *-ss-* » entre le radical et la terminaison. (➞ Tableaux 20 et 21)

    tu réuss**iss**ais – vous guér**iss**iez

CAS PARTICULIERS

- Pour les verbes du 1ᵉʳ groupe terminés par *-gner, -iller, -ier, -yer* à l'infinitif, ne pas oublier d'ajouter le « *i* » à l'imparfait pour les deux premières personnes du pluriel. (➞ Tableaux 3, 4, 16 à 19)

Pour bien faire la distinction, on remplace par une forme du singulier.

    Aujourd'hui, nous skions, nous gagnons. Aujourd'hui, elle skie, elle gagne. → présent
    Hier, nous skiions, nous gagnions. Hier, elle skiait, elle gagnait. → imparfait

- Certains verbes du 3ᵉ groupe (*bouillir, cueillir, fuir, voir, asseoir, craindre, peindre, croire, rire*) se conjuguent avec cette même particularité.

(➞ Tableaux 24, 30, 33, 37, 40, 54, 55, 67, 77)

    nous riions – vous cueilliez – nous voyions – vous asseyiez (assoyiez) – vous craigniez

5. LE FUTUR SIMPLE

FORMATION

- Généralement, infinitif du verbe + *-ai, -as, -a, -ons, -ez, -ont* (sauf pour certains verbes du 3ᵉ groupe qui perdent le « e » de l'infinitif).

    je resterai – tu finiras – elle signera – nous descendrons – ils peindront

- Penser à chercher l'infinitif du verbe pour **ne pas omettre une lettre muette** ou **en placer une superflue**.

    Le ministre conclura son discours. *conclure* : 3ᵉ groupe   → pas de « e »
    Le ministre saluera le Président. *saluer* : 1ᵉʳ groupe   → présence d'un « e »

CAS PARTICULIERS

- Le verbe *cueillir* se conjugue comme un verbe du 1ᵉʳ groupe. (➞ Tableau 30)

    je cueillerai – elle cueillera – nous cueillerons – ils cueilleront

- Certains verbes (*courir, pouvoir, mourir, voir, acquérir, entrevoir...*) doublent le « r » avant la terminaison. (➞ Tableaux 25, 26, 28, 37, 44)

    je courrai – tu pourras – elle mourra – nous verrons – vous acquerrez

Mais *pourvoir* et *prévoir* se conjuguent sur un autre radical. (➞ Tableaux 38, 39)

    Nous pourvoirons à tous vos besoins.   Tu prévoiras une trousse de secours.

6. LE PASSÉ SIMPLE

FORMATION

• **1er groupe** : infinitif en *-er*. (➞ Tableaux 3 à 19)
Radical du verbe + *-ai, -as, -a, -âmes, -âtes, -èrent*.

je criai – tu crias – elle cria – nous criâmes – vous criâtes – ils crièrent

Le verbe *aller* se conjugue comme un verbe du 1er groupe au passé simple.
• **2e groupe** : infinitif en *-ir*. (➞ Tableaux 20 et 21)
Radical du verbe + *-is, -is, -it, -îmes, -îtes, -irent*.

j'agis – tu agis – elle agit – nous agîmes – vous agîtes – ils agirent

• **3e groupe** : infinitif en *-ir, -oir, -re*. (➞ Tableaux 22 à 83)
– Radical du verbe + *-is, -is, -it, -îmes, -îtes, -irent*.

je souris – tu souris – il sourit – nous sourîmes – vous sourîtes – elles sourirent

– Radical du verbe + *-us, -us, -ut, -ûmes, -ûtes, -urent*.

je courus – tu courus – il courut – nous courûmes – vous courûtes – elles coururent

• À la 3e personne du singulier, il n'y a jamais d'accent sur la voyelle qui précède le « *t* ».

CAS PARTICULIER

• Attention aux verbes *venir* et *tenir* (et leurs composés). (➞ Tableau 27)

je vins – tu tins – il vint – nous tînmes – vous vîntes – elles tinrent

7. LA FORMATION DU PARTICIPE PASSÉ

RÈGLE GÉNÉRALE

• Tous les participes passés des **verbes du 1er groupe** se terminent par *-é*.
affirmer : affirmé   rester : resté
• Tous les participes passés des **verbes du 2e groupe** se terminent par *-i*.
remplir : rempli   maigrir : maigri
• Les participes passés des **verbes du 3e groupe** se terminent par *-i* ou *-u*.
sourire : souri   vendre : vendu

CAS PARTICULIERS

• naître : né, née   devoir : dû, due   plaire : plu
pouvoir : pu   prévoir : prévu, prévue   vivre : vécu, vécue
• Certains participes passés se terminent toujours par **une lettre muette** « *t* » ou « *s* ».

Chercher le féminin du participe passé permet de trouver cette lettre muette.

faire : fait (faite)   dire : dit (dite)   asseoir : assis (assise)

8. LE PARTICIPE PASSÉ AVEC *ÊTRE*

ACCORD

• **Il s'accorde en genre et en nombre** avec le nom (ou le pronom) principal du sujet du verbe.

Le local de service est fermé.   Les entrées de secours sont fermées.

• Lorsque le verbe a **plus d'un sujet**, l'accord se fait au masculin pluriel si au moins un des sujets est masculin.

Le local et l'entrée sont fermés.   L'entrée et la sortie sont fermées.

GENRE

• Les pronoms personnels des 1re et 2e personnes – singulier et pluriel –, n'indiquent pas le genre. **Seule la personne qui écrit est en mesure de fixer ce genre.**

Je suis parti.   → C'est un homme qui parle.

Tu es partie.   → On parle à une femme.

• Quand le sujet est le pronom *on*, on peut accorder le participe passé.

On est arrivé à Paris.   On est arrivés à Paris.

9. LE PARTICIPE PASSÉ DES VERBES PRONOMINAUX

VERBES UNIQUEMENT PRONOMINAUX

• Le participe passé des verbes uniquement pronominaux **s'accorde avec le sujet.**

Ils se sont réfugiés sous l'abribus.   **Melissa** s'est absentée un instant.

VERBES OCCASIONNELLEMENT PRONOMINAUX AVEC COD

• Le participe passé des verbes occasionnellement pronominaux **s'accorde avec le complément d'objet direct** (qui peut être un pronom personnel) quand celui-ci est **placé avant le participe passé.** (voir p. 12)

Léa s'est préparée pour sortir.   (COD : s' – Léa a préparé elle-même)

Léa s'est préparé des sandwichs.   (COD : des sandwichs : pas d'accord)

Voici les sandwichs que Léa s'est préparés.   (COD : que – des sandwichs : accord)

VERBES OCCASIONNELLEMENT PRONOMINAUX SANS COD

• Les participes passés des verbes occasionnellement pronominaux qui n'ont jamais de complément d'objet direct sont **invariables.**

Les essais de mise en service se sont succédé, sans résultat.

Ces deux personnes se sont plu immédiatement.

10. LE PARTICIPE PASSÉ AVEC *AVOIR*

ACCORD

- **Il ne s'accorde jamais** avec le sujet du verbe.

    Ce pull a rétréci au lavage.   Ces vestes ont rétréci au lavage.

- Le participe passé **s'accorde avec le complément d'objet direct** (COD) du verbe, seulement **si celui-ci est placé avant le participe passé**.

IDENTIFIER LE COD

- Pour trouver le COD, on pose la question « qui ? » ou « quoi ? » après le verbe.

    Au concert, Grégory a retrouvé **ses amis**.

    Grégory a retrouvé qui ? ses amis   COD placé après le verbe → pas d'accord

    Ses amis, Grégory **les** a retrouvés au concert.

    Grégory a retrouvé qui ? les (mis pour ses amis)   COD placé avant le verbe → accord

- Lorsqu'il est placé devant le participe passé, le COD est le plus souvent un **pronom** qui ne nous renseigne pas toujours sur le genre ou le nombre. Il faut donc **chercher le nom que remplace le pronom** pour bien accorder le participe passé.

    Ces films, nous **les** avons vus.

    COD les (mis pour les films)   → accord au masculin pluriel

    L'émission **que** vous nous avez conseillée passe demain.

    COD que (mis pour l'émission)   → accord au féminin singulier

- Ne pas confondre le **complément d'objet indirect** (COI), qui peut être placé avant le participe passé, avec un COD.

    Les spectateurs ont applaudi ; la pièce leur a plu.

    La pièce a plu à qui ? à leur (mis pour les spectateurs) → COI

CAS PARTICULIERS

- Le participe passé *fait* suivi d'un infinitif est toujours **invariable**.

    Sa moto, Martin l'a fait réparer au garage voisin.

- Même si on peut l'accorder dans certains cas, le participe passé *laissé* suivi d'un infinitif demeure **invariable**.

    Voici les canaris que William a laissé s'envoler.

- Lorsque le COD du verbe est le pronom *en*, le participe passé reste **invariable**.

    J'ai apporté des gâteaux et nous **en** avons mangé.

- Le participe passé des **verbes impersonnels**, ou employés à la forme impersonnelle, reste **invariable**.

    Cette protection, il l'aurait fallu plus étanche.

- Lorsque le pronom neutre *le* est COD, le participe passé est **invariable**.

    Les orages devaient s'arrêter, enfin les agriculteurs l'avaient espéré.

11. LE PARTICIPE PRÉSENT ET L'ADJECTIF VERBAL

FORMATION DU PARTICIPE PRÉSENT

- Radical du verbe à la 1re personne du pluriel du présent de l'indicatif + *-ant*.

  cherchant – fini**ss**ant – ouvrant – prenant – vivant – croyant

CAS PARTICULIER

- Trois verbes ont un participe présent irrégulier :

  être : étant   avoir : ayant   savoir : sachant

NE PAS CONFONDRE PARTICIPE PRÉSENT ET ADJECTIF VERBAL

- Pour distinguer **le participe présent**, toujours invariable, de **l'adjectif verbal**, qui s'accorde avec le nom auquel il se rapporte, on remplace le nom masculin par un nom féminin ; oralement, on entend la différence.

  Souriant aux spectateurs, les chanteurs entrent en scène. → participe présent
  Souriant aux spectateurs, les chanteuses entrent en scène. → participe présent
  Les spectateurs ont face à eux des chanteurs souriants. → adjectif verbal
  Les spectateurs ont face à eux des chanteuses souriantes. → adjectif verbal

DES ORTHOGRAPHES DIFFÉRENTES

- Parfois, participes présents et adjectifs verbaux ont des orthographes différentes.

participe présent	adjectif verbal
adhérant	adhérent
communiquant	communicant
convainquant	convaincant
convergeant	convergent
différant	différent
équivalant	équivalent
excellant	excellent
fatiguant	fatigant
naviguant	navigant
négligeant	négligent
précédant	précédent
provoquant	provocant
suffoquant	suffocant
vaquant	vacant
violant	violent

12. LE CONDITIONNEL

Le conditionnel a deux temps : le **présent** et le **passé**.

* Radical du futur + terminaisons de l'imparfait (*-ais*, *-ais*, *-ait*, *-ions*, *-iez*, *-aient*).
* Pour les verbes du 1er et du 2e groupe, on retrouve donc l'infinitif en entier. Les verbes du 3e groupe, dont la terminaison à l'infinitif est *-e*, perdent cette lettre au présent du conditionnel.

> j'aimerais – tu réussirais – elle comprendrait – nous voterions –
> vous gémiriez – ils viendraient

* Pour les verbes du 1er groupe terminés par *-ouer*, *-uer*, *-ier*, *-éer* à l'infinitif, il ne faut pas oublier de placer le « *e* » dans les formes du présent du conditionnel, même s'il ne s'entend guère.

> jouer : je jouerais
> copier : elle copierait
>
> éternuer : tu éternuerais
> créer : ils créeraient

* Pour **distinguer les terminaisons de la 1re personne du singulier du futur simple et celle du présent du conditionnel** qui ont la même prononciation, on remplace la 1re personne du singulier par une autre personne ; on entend alors la différence.

> Je souhaiterai l'anniversaire de mon ami Hervé. (futur)
> → Tu souhaiteras l'anniversaire de ton ami Hervé.
>
> Je souhaiterais que l'anniversaire d'Hervé soit une grande fête. (conditionnel)
> → Tu souhaiterais que l'anniversaire d'Hervé soit une grande fête.

* En aucun cas, le verbe de la subordonnée introduite par la conjonction *si* ne s'écrit au présent du conditionnel.
La proposition : « *Si* j'achèterais un téléphone portable... » est incorrecte. C'est un barbarisme.
La proposition correcte est : « *Si* j'achetais un téléphone portable, j'adopterais une sonnerie originale. »

* Auxiliaire *avoir* ou *être* au présent du conditionnel + participe passé.

> j'aurais trouvé – tu aurais fini – elle serait venue – vous vous seriez couché(e)s

* Si le verbe de la proposition subordonnée, introduite par la conjonction *si*, est au **plus-que-parfait de l'indicatif**, le verbe de la proposition principale est au **passé du conditionnel**.

> Si tu avais vu ce film, tu l'aurais apprécié.
> Si la chèvre de Monsieur Seguin l'avait écouté, elle ne serait pas allée dans la montagne.
> Si j'en avais eu l'occasion, je me serais allongé sous les arbres.

13. LE SUBJONCTIF

FORMATION

• Au présent du subjonctif, tous les verbes (sauf *être* et *avoir*) prennent les mêmes terminaisons (*-e, -es, -e, -ions, -iez, -ent*).

• Le subjonctif se trouve surtout dans les propositions subordonnées introduites par la conjonction *que*.

> Il faut qu'elle traverse   ... que nous dessinions   ... que vous remuiez

• Pour les verbes du 2e groupe, l'élément « *-ss-* » est toujours intercalé entre le radical et la terminaison.

> finir : Il faut que je fini**s**se.   réfléchir : Il faut que nous réfléchi**ss**ions.

CAS PARTICULIERS

• Le radical de certains verbes du 3e groupe est **modifié**.

aller : ... que j'aille	savoir : ... que tu saches	devoir : ... qu'elle doive
faire : ... que nous fassions	plaire : ... que vous plaisiez	voir : ... qu'ils voient
prendre : ... que je prenne	craindre : ... que tu craignes	mourir : ... qu'il meure
lire : ... que nous lisions	dire : ... que vous disiez	recevoir : ... qu'elle reçoivent

• Pour ne pas confondre les formes homophones des personnes du singulier du présent de l'indicatif et celles du présent du subjonctif de certains verbes du 3e groupe, on remplace par la 1re ou par la 2e personne du pluriel :

> On sait que tu cours les brocantes chaque dimanche.
> → On sait que vous courez les brocantes chaque dimanche.   → indicatif
>
> On doute que tu coures les brocantes chaque dimanche.
> → On doute que vous couriez les brocantes chaque dimanche.   → subjonctif

• Pour les verbes du 1er groupe terminés par *-gner, -iller, -ier, -yer* à l'infinitif, ne pas oublier d'ajouter le « *i* » au subjonctif.

Pour faire la distinction, on remplace par un verbe du 2e ou du 3e groupe. On entend alors la différence.

> Nous gagnons (perdons) la partie.   → présent de l'indicatif
> Il faut que nous gagnions (perdions) la partie.   → présent du subjonctif

QUELQUES LOCUTIONS CONJONCTIVES QUI IMPOSENT LE SUBJONCTIF

à condition que, à moins que, à supposer que, afin que, avant que, bien que, de crainte que, de façon que, de peur que, en admettant que, en attendant que, jusqu'à ce que, non que, pour peu que, pour que...

QUELQUES VERBES QUI IMPOSENT LE SUBJONCTIF DANS LA SUBORDONNÉE

approuver, attendre, avoir envie, craindre, déplorer, désirer, s'étonner, exiger, faire attention, interdire, ordonner, permettre, préférer, refuser, regretter, souhaiter, tenir à ce que, vouloir, douter, empêcher, essayer...

14. L'IMPÉRATIF

• Le présent de l'impératif est employé pour exprimer des ordres, des conseils, des souhaits, des recommandations, des demandes, des interdictions.
• L'impératif ne se conjugue qu'à **trois personnes** : deuxièmes personnes du singulier et du pluriel et première personne du pluriel.
Il n'y a **pas de pronom sujet**.
• L'impératif a deux temps : le **présent** et le **passé**.

LE PRÉSENT DE L'IMPÉRATIF

• Ne t'énerve pas.   Traduisons ce texte.   Respirez.
• Pour les verbes du 2e groupe, on intercale l'élément « -ss- » entre le radical et les terminaisons aux personnes du pluriel.

Ralentissons à l'entrée du village.   Agissez !

CAS PARTICULIERS

• Les verbes du 1er groupe (ainsi que *ouvrir, offrir, souffrir, cueillir, aller* et *savoir*) ne prennent pas de « *s* » à la 2e personne du singulier.

Travaille un peu plus.   N'oublie rien.   Arrose les plantes.

Néanmoins, pour faciliter la prononciation, on ajoute un « *s* » lorsque l'impératif est suivi des pronoms *en* ou *y*.

Ces chocolats, offres-en à tes amis.   N'hésite pas, vas-y franchement.

• Les deux auxiliaires et quelques verbes ont des **formes particulières**.

avoir : aie – ayons – ayez   être : sois – soyons – soyez
aller : va – allons – allez   savoir : sache – sachons – sachez
asseoir : assieds – asseyons – asseyez   asseoir : assois – assoyons – assoyez

• Pour les **verbes pronominaux**, la forme verbale du présent de l'impératif est suivie d'un pronom personnel réfléchi *toi, nous* ou *vous*.

Présente-toi au guichet de la poste !   Présentez-vous au guichet.

• Pour les verbes du 1er groupe, il ne faut pas confondre la 2e personne du singulier du présent de l'impératif, qui n'a pas de sujet exprimé, avec la 2e personne du singulier du présent de l'indicatif.

Appelle ton ami au téléphone.   présent de l'impératif → « e »
Tu appelles ton ami au téléphone.   présent de l'indicatif → « es »

LE PASSÉ DE L'IMPÉRATIF

Formé de l'auxiliaire au présent de l'impératif et du participe passé.

Sois rentré(e) !   Ayons fini pour demain !   Soyez parti(e)s à temps.

15. VERBES EN -YER, -ELER ET -ETER

VERBES EN -YER

• Pour les verbes en *-uyer*, *-oyer*, *-ayer* à l'infinitif, le « *y* » se transforme en « *i* » devant les terminaisons commençant par un « *e* » muet. (➜ Tableaux 16 à 18)

> présent de l'indicatif : j'appuie – tu nettoies – elle paie – elles essuient
> futur simple de l'indicatif : j'appuierai – tu essuieras – nous emploierons
> présent du subjonctif : … que j'appuie – … qu'elle paie – … qu'elles nettoient
> présent de l'impératif : appuie – essuie – paie – nettoie

• Au futur simple, les verbes *envoyer* et *renvoyer* ont une conjugaison particulière. (➜ Tableau 19)

> envoyer : j'enverrai   renvoyer : ils renverront

Remarque : même si, pour les verbes en *-ayer*, le maintien du « *y* » devant le « *e* » muet est toléré, il est préférable de transformer le « *y* » en « *i* » pour tous les verbes terminés par *-yer* dans un souci d'harmonisation.

VERBES EN -ELER ET -ETER

• La plupart des verbes en *-eler* et *-eter* à l'infinitif, doublent le « *l* » ou le « *t* » devant les terminaisons commençant par un « *e* » muet. (➜ Tableaux 12 et 14)

> présent de l'indicatif : j'appelle – tu chancelles – elle jette – elles feuillettent
> futur simple de l'indicatif : j'appellerai – tu chancelleras – il jettera – elles feuilletteront
> présent du subjonctif : … que j'appelle – … qu'elles feuillettent
> présent de l'impératif : appelle – chancelle – jette – feuillette

• Quelques verbes terminés par *-eler* (*peler, geler, ciseler, congeler, écarteler, marteler, modeler, receler, démanteler*) et *-eter* (*acheter, crocheter, haleter, fureter*) ne doublent pas le « *l* » ou le « *t* » devant les terminaisons commençant par un « *e* » muet. Ils s'écrivent avec un accent grave sur le « *e* » qui précède le « *l* » ou le « *t* ». (➜ Tableaux 13 et 15)

> présent de l'indicatif : je pèle – tu achètes – il gèle – elles halètent
> futur simple de l'indicatif : je pèlerai – il gèlera – vous crochèterez – elles halèteront
> présent du subjonctif : … que je pèle – … que tu achètes – … qu'il gèle
> présent de l'impératif : pèle – achète – crochète

• Les verbes comme *interpeller* et *regretter* qui ont deux « *l* » ou deux « *t* » à l'infinitif les conservent à toutes les personnes. (➜ Tableau 3)

> interpeller : j'interpelle – nous interpellons
> regretter : tu regrettes – vous regrettez

16. VERBES EN -CER, -GER ET AUTRES VERBES PARTICULIERS

VERBES EN -CER

• **Les verbes du 1ᵉʳ groupe** en -cer à l'infinitif prennent une **cédille** sous le « c » devant les terminaisons commençant par les voyelles « o » ou « a » pour conserver le son (s). (➡ Tableau 6)

> présent de l'indicatif : nous lançons
>
> imparfait de l'indicatif : je lançais – tu plaçais – elle perçait – elles traçaient
>
> passé simple de l'indicatif : je lançai – tu plaças – elle perça – vous grimaçâtes
>
> présent de l'impératif : lançons

VERBES EN -GER

• **Les verbes du 1ᵉʳ groupe** en -ger à l'infinitif prennent un « e » après le « g » devant les terminaisons commençant par « o » ou « a » pour conserver le son (je). (➡ Tableaux 7 et 10)

> présent de l'indicatif : nous nageons
>
> imparfait de l'indicatif : je nageais – tu dirigeais – elle jugeait – elles songeaient
>
> passé simple de l'indicatif : je nageai – elle jugea – vous négligeâtes
>
> présent de l'impératif : nageons

AUTRES VERBES PARTICULIERS

• Pour les verbes du 1ᵉʳ groupe, comme *achever*, qui ont un « e » muet dans l'avant-dernière syllabe de leur infinitif, on place un accent grave sur ce « e » devant une terminaison commençant par un « e » muet. (➡ Tableau 11)

> présent de l'indicatif : j'achève – tu sèmes – elle relève – elles mènent
>
> futur simple de l'indicatif : j'achèverai – nous lèverons – vous pèserez
>
> présent du subjonctif : ... que j'achève – ... que tu sèmes – ... qu'elles mènent
>
> présent de l'impératif : achève – sème – relève-toi

• Pour les verbes du 1ᵉʳ groupe, comme *céder*, qui ont un « é » dans l'avant-dernière syllabe de leur infinitif, l'accent aigu devient un accent grave devant une terminaison commençant par un « e » muet. (➡ Tableau 9)

> présent de l'indicatif : je cède – tu règles – elle repère – elles tolèrent
>
> futur simple de l'indicatif : je cèderai – nous gèrerons – vous possèderez
>
> présent du subjonctif : ... que je cède – ... que tu règles – ... qu'elles tolèrent
>
> présent de l'impératif : cède – règle – repère

• Quelques verbes du 3ᵉ groupe en -cevoir (*apercevoir, percevoir, concevoir, décevoir, recevoir*) s'écrivent également avec un « ç » devant les voyelles « o », « u ». (➡ Tableau 36)

17. NE PAS CONFONDRE : *AI – AIE – AIES – AIT – AIENT – ES – EST*

Plusieurs formes des verbes *avoir* et *être* sont homophones. Pour les différencier, il suffit de changer de personne pour trouver le temps et le mode, puis d'observer le pronom personnel sujet.

- *ai* : présent de l'indicatif du verbe *avoir*.

  Pour remonter ce casse-tête, j'ai besoin de beaucoup de patience.

  → Pour remonter ce casse-tête, nous **avons** besoin de beaucoup de patience.

- *aie – aies – ait – aient* : présent du subjonctif du verbe *avoir*.

  Pour remonter ce casse-tête, il faut que j'aie beaucoup de patience.

  Pour remonter ce casse-tête, il faut que tu aies beaucoup de patience.

  Pour remonter ce casse-tête, il faut qu'elle ait beaucoup de patience.

  Pour remonter ce casse-tête, il faut qu'ils aient beaucoup de patience.

  → Pour remonter ce casse-tête, il faut que nous **ayons** beaucoup de patience.

- *es – est* : présent de l'indicatif du verbe *être*.

  Tu es très patient car ce casse-tête présente bien des difficultés.

  Germain est très patient car ce casse-tête présente bien des difficultés.

  → Nous **sommes** très patients car ce casse-tête présente bien des difficultés.

18. DISTINGUER LE PARTICIPE PASSÉ EN *-É*, L'INFINITIF EN *-ER* ET LA FORME VERBALE EN *-EZ*

Lorsqu'on entend le son (é) à la fin d'un verbe du 1er groupe, plusieurs terminaisons sont possibles (*-é, -er, -ez*). Pour les distinguer, on remplace par un verbe du 2e ou du 3e groupe pour lequel on entend nettement la différence.

infinitif : Nous allons fermer la porte. → Nous allons **prendre** la porte.

participe passé : Nous avons fermé la porte. → Nous avons **pris** la porte.

2e personne du pluriel : Vous fermez la porte. → Vous **prenez** la porte.

Par souci d'efficacité, choisir toujours le même verbe pour effectuer cette substitution.

Trouver la conjugaison d'un verbe

Grâce à l'index des verbes et aux tableaux de conjugaison types, vous pouvez conjuguer tous les verbes de la langue française.

• Pour cela, il vous suffit de rechercher par ordre alphabétique, dans l'index (pages 105 à 160), le verbe que vous souhaitez conjuguer.

• Le numéro qui figure en face de ce verbe vous donnera le numéro du modèle de conjugaison type. Vous trouverez ce modèle de conjugaison dans les pages qui suivent (pages 22 à 104), les tableaux étant classés par numéro.

• Vous appliquerez au verbe que vous voulez conjuguer les variations du radical et les terminaisons du verbe modèle.

• Les difficultés particulières de chaque conjugaison sont indiquées par les lettres en couleur.

Exemples :

1. Comment s'écrit le verbe *sortir*
à la 2ᵉ personne du singulier du présent
de l'impératif ?
Sortir a pour numéro de conjugaison **22**
(il se conjugue comme *dormir*).
À la 2ᵉ personne du singulier du présent
de l'impératif, le verbe modèle s'écrit *dors* ;
sortir s'écrira donc *sors*.

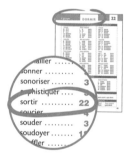

2. Quelle est la 3ᵉ personne du singulier
du présent du subjonctif du verbe *requérir* ?
Requérir a pour numéro de conjugaison **28**
(il se conjugue comme *acquérir*).
Acquérir fait *qu'il acquière* à la 3ᵉ personne
du singulier du présent du subjonctif ;
requérir fera donc *qu'il requière*.

Liste des 83 verbes types

1 Avoir
2 Être
3 Chanter
4 Crier
5 Créer
6 Placer
7 Manger
8 Naviguer
9 Céder
10 Assiéger
11 Lever
12 Appeler
13 Geler
14 Jeter
15 Acheter
16 Payer
17 Essuyer
18 Employer
19 Envoyer
20 Finir
21 Haïr
22 Dormir
23 Vêtir
24 Bouillir
25 Courir
26 Mourir
27 Venir
28 Acquérir

29 Offrir
30 Cueillir
31 Assaillir
32 Faillir
33 Fuir
34 Gésir
35 Ouïr
36 Recevoir
37 Voir
38 Prévoir
39 Pourvoir
40 Asseoir
41 Surseoir
42 Savoir
43 Devoir
44 Pouvoir
45 Vouloir
46 Valoir
47 Prévaloir
48 Mouvoir
49 Falloir
50 Pleuvoir
51 Déchoir
52 Rendre
53 Prendre
54 Craindre
55 Peindre
56 Joindre

57 Résoudre
58 Coudre
59 Moudre
60 Rompre
61 Vaincre
62 Battre
63 Mettre
64 Connaître
65 Naître
66 Croître
67 Croire
68 Plaire
69 Traire
70 Suivre
71 Vivre
72 Suffire
73 Dire
74 Maudire
75 Lire
76 Écrire
77 Rire
78 Conduire
79 Boire
80 Conclure
81 Clore
82 Faire
83 Aller

INDICATIF

Présent		Passé composé		
j'	ai	j'	ai	eu
tu	as	tu	as	eu
il	a	il	a	eu
ns	avons	ns	avons	eu
vs	avez	vs	avez	eu
ils	ont	ils	ont	eu

Imparfait		Plus-que parfait		
j'	avais	j'	avais	eu
tu	avais	tu	avais	eu
il	avait	il	avait	eu
ns	avions	ns	avions	eu
vs	aviez	vs	aviez	eu
ils	avaient	ils	avaient	eu

Passé simple		Passé antérieur		
j'	eus	j'	eus	eu
tu	eus	tu	eus	eu
il	eut	il	eut	eu
ns	eûmes	ns	eûmes	eu
vs	eûtes	vs	eûtes	eu
ils	eurent	ils	eurent	eu

Futur simple		Futur antérieur		
j'	aurai	j'	aurai	eu
tu	auras	tu	auras	eu
il	aura	il	aura	eu
ns	aurons	ns	aurons	eu
vs	aurez	vs	aurez	eu
ils	auront	ils	auront	eu

SUBJONCTIF

Présent		
que j'	aie	
que tu	aies	
qu' il	ait	
que ns	ayons	
que vs	ayez	
qu' ils	aient	

Imparfait		
que j'	eusse	
que tu	eusses	
qu' il	eût	
que ns	eussions	
que vs	eussiez	
qu' ils	eussent	

Passé		
que j'	aie	eu
que tu	aies	eu
qu' il	ait	eu
que ns	ayons	eu
que vs	ayez	eu
qu' ils	aient	eu

Plus-que-parfait		
que j'	eusse	eu
que tu	eusses	eu
qu' il	eût	eu
que ns	eussions	eu
que vs	eussiez	eu
qu' ils	eussent	eu

CONDITIONNEL

Présent		Passé 1re forme			Passé 2e forme		
j'	aurais	j'	aurais	eu	j'	eusse	eu
tu	aurais	tu	aurais	eu	tu	eusses	eu
il	aurait	il	aurait	eu	il	eût	eu
ns	aurions	ns	aurions	eu	ns	eussions	eu
vs	auriez	vs	auriez	eu	vs	eussiez	eu
ils	auraient	ils	auraient	eu	ils	eussent	eu

IMPÉRATIF

Présent			Passé		
aie	ayons	ayez	aie eu	ayons eu	ayez eu

INFINITIF

Présent	Passé
avoir	avoir eu

PARTICIPE

Présent	Passé	Passé composé
ayant	eu, eue	ayant eu

ÊTRE

INDICATIF

Présent

je	suis
tu	es
il	est
ns	sommes
vs	êtes
ils	sont

Imparfait

j'	étais
tu	étais
il	était
ns	étions
vs	étiez
ils	étaient

Passé simple

je	fus
tu	fus
il	fut
ns	fûmes
vs	fûtes
ils	furent

Futur simple

je	serai
tu	seras
il	sera
ns	serons
vs	serez
ils	seront

Passé composé

j'	ai	été
tu	as	été
il	a	été
ns	avons	été
vs	avez	été
ils	ont	été

Plus-que-parfait

j'	avais	été
tu	avais	été
il	avait	été
ns	avions	été
vs	aviez	été
ils	avaient	été

Passé antérieur

j'	eus	été
tu	eus	été
il	eut	été
ns	eûmes	été
vs	eûtes	été
ils	eurent	été

Futur antérieur

j'	aurai	été
tu	auras	été
il	aura	été
ns	aurons	été
vs	aurez	été
ils	auront	été

SUBJONCTIF

Présent

que	je	sois
que	tu	sois
qu'	il	soit
que	ns	soyons
que	vs	soyez
qu'	ils	soient

Imparfait

que	je	fusse
que	tu	fusses
qu'	il	fût
que	ns	fussions
que	vs	fussiez
qu'	ils	fussent

Passé

que	j'	aie	été
que	tu	aies	été
qu'	il	ait	été
que	ns	ayons	été
que	vs	ayez	été
qu'	ils	aient	été

Plus-que-parfait

que	j'	eusse	été
que	tu	eusses	été
qu'	il	eût	été
que	ns	eussions	été
que	vs	eussiez	été
qu'	ils	eussent	été

CONDITIONNEL

Présent

je	serais
tu	serais
il	serait
ns	serions
vs	seriez
ils	seraient

Passé 1re forme

j'	aurais	été
tu	aurais	été
il	aurait	été
ns	aurions	été
vs	auriez	été
ils	auraient	été

Passé 2e forme

j'	eusse	été
tu	eusses	été
il	eût	été
ns	eussions	été
vs	eussiez	été
ils	eussent	été

IMPÉRATIF

Présent

sois   soyons   soyez

Passé

aie été   ayons été   ayez été

INFINITIF

Présent	Passé
être	avoir été

PARTICIPE

Présent	Passé	Passé composé
étant	été	ayant été

INDICATIF

SUBJONCTIF

Présent
je chante
tu chantes
il chante
ns chantons
vs chantez
ils chantent

Passé composé
j' ai chanté
tu as chanté
il a chanté
ns avons chanté
vs avez chanté
ils ont chanté

Présent
que je chante
que tu chantes
qu' il chante
que ns chantions
que vs chantiez
qu' ils chantent

Imparfait
je chantais
tu chantais
il chantait
ns chantions
vs chantiez
ils chantaient

Plus-que-parfait
j' avais chanté
tu avais chanté
il avait chanté
ns avions chanté
vs aviez chanté
ils avaient chanté

Imparfait
que je chantasse
que tu chantasses
qu' il chantât
que ns chantassions
que vs chantassiez
qu' ils chantassent

Passé simple
je chantai
tu chantas
il chanta
ns chantâmes
vs chantâtes
ils chantèrent

Passé antérieur
j' eus chanté
tu eus chanté
il eut chanté
ns eûmes chanté
vs eûtes chanté
ils eurent chanté

Passé
que j' aie chanté
que tu aies chanté
qu' il ait chanté
que ns ayons chanté
que vs ayez chanté
qu' ils aient chanté

Futur simple
je chanterai
tu chanteras
il chantera
ns chanterons
vs chanterez
ils chanteront

Futur antérieur
j' aurai chanté
tu auras chanté
il aura chanté
ns aurons chanté
vs aurez chanté
ils auront chanté

Plus-que-parfait
que j' eusse chanté
que tu eusses chanté
qu' il eût chanté
que ns eussions chanté
que vs eussiez chanté
qu' ils eussent chanté

CONDITIONNEL

Présent
je chanterais
tu chanterais
il chanterait
ns chanterions
vs chanteriez
ils chanteraient

Passé 1re forme
j' aurais chanté
tu aurais chanté
il aurait chanté
ns aurions chanté
vs auriez chanté
ils auraient chanté

Passé 2e forme
j' eusse chanté
tu eusses chanté
il eût chanté
ns eussions chanté
vs eussiez chanté
ils eussent chanté

IMPÉRATIF

Présent
chante   chantons   chantez

Passé
aie chanté   ayons chanté   ayez chanté

INFINITIF

Présent
chanter

Passé
avoir chanté

PARTICIPE

Présent
chantant

Passé
chanté, e

Passé composé
ayant chanté

CRIER

INDICATIF

Présent
je crie
tu cries
il crie
ns crions
vs criez
ils crient

Passé composé
j' ai crié
tu as crié
il a crié
ns avons crié
vs avez crié
ils ont crié

Imparfait
je criais
tu criais
il criait
ns criions
vs criiez
ils criaient

Plus-que-parfait
j' avais crié
tu avais crié
il avait crié
ns avions crié
vs aviez crié
ils avaient crié

Passé simple
je criai
tu crias
il cria
ns criâmes
vs criâtes
ils crièrent

Passé antérieur
j' eus crié
tu eus crié
il eut crié
ns eûmes crié
vs eûtes crié
ils eurent crié

Futur simple
je crierai
tu crieras
il criera
ns crierons
vs crierez
ils crieront

Futur antérieur
j' aurai crié
tu auras crié
il aura crié
ns aurons crié
vs aurez crié
ils auront crié

SUBJONCTIF

Présent
que je crie
que tu cries
qu' il crie
que ns criions
que vs criiez
qu' ils crient

Imparfait
que je criasse
que tu criasses
qu' il criât
que ns criassions
que vs criassiez
qu' ils criassent

Passé
que j' aie crié
que tu aies crié
qu' il ait crié
que ns ayons crié
que vs ayez crié
qu' ils aient crié

Plus-que-parfait
que j' eusse crié
que tu eusses crié
qu' il eût crié
que ns eussions crié
que vs eussiez crié
qu' ils eussent crié

CONDITIONNEL

Présent
je crierais
tu crierais
il crierait
ns crierions
vs crieriez
ils crieraient

Passé 1re forme
j' aurais crié
tu aurais crié
il aurait crié
ns aurions crié
vs auriez crié
ils auraient crié

Passé 2e forme
j' eusse crié
tu eusses crié
il eût crié
ns eussions crié
vs eussiez crié
ils eussent crié

IMPÉRATIF

Présent
crie crions criez

Passé
aie crié ayons crié ayez crié

INFINITIF

Présent
crier

Passé
avoir crié

PARTICIPE

Présent
criant

Passé
crié, e

Passé composé
ayant crié

5 CRÉER 1er groupe

INDICATIF

Présent

je	crée
tu	crées
il	crée
ns	créons
vs	créez
ils	créent

Passé composé

j'	ai	créé
tu	as	créé
il	a	créé
ns	avons	créé
vs	avez	créé
ils	ont	créé

Imparfait

je	créais
tu	créais
il	créait
ns	créions
vs	créiez
ils	créaient

Plus-que-parfait

j'	avais	créé
tu	avais	créé
il	avait	créé
ns	avions	créé
vs	aviez	créé
ils	avaient	créé

Passé simple

je	créai
tu	créas
il	créa
ns	créâmes
vs	créâtes
ils	créèrent

Passé antérieur

j'	eus	créé
tu	eus	créé
il	eut	créé
ns	eûmes	créé
vs	eûtes	créé
ils	eurent	créé

Futur simple

je	créerai
tu	créeras
il	créera
ns	créerons
vs	créerez
ils	créeront

Futur antérieur

j'	aurai	créé
tu	auras	créé
il	aura	créé
ns	aurons	créé
vs	aurez	créé
ils	auront	créé

SUBJONCTIF

Présent

que	je	crée
que	tu	crées
qu'	il	crée
que	ns	créions
que	vs	créiez
qu'	ils	créent

Imparfait

que	je	créasse
que	tu	créasses
qu'	il	créât
que	ns	créassions
que	vs	créassiez
qu'	ils	créassent

Passé

que	j'	aie	créé
que	tu	aies	créé
qu'	il	ait	créé
que	ns	ayons	créé
que	vs	ayez	créé
qu'	ils	aient	créé

Plus-que-parfait

que	j'	eusse	créé
que	tu	eusses	créé
qu'	il	eût	créé
que	ns	eussions	créé
que	vs	eussiez	créé
qu'	ils	eussent	créé

CONDITIONNEL

Présent

je	créerais
tu	créerais
il	créerait
ns	créerions
vs	créeriez
ils	créeraient

Passé 1re forme

j'	aurais	créé
tu	aurais	créé
il	aurait	créé
ns	aurions	créé
vs	auriez	créé
ils	auraient	créé

Passé 2e forme

j'	eusse	créé
tu	eusses	créé
il	eût	créé
ns	eussions	créé
vs	eussiez	créé
ils	eussent	créé

IMPÉRATIF

Présent

crée créons créez

Passé

aie créé ayons créé ayez créé

INFINITIF

Présent

créer

Passé

avoir créé

PARTICIPE

Présent

créant

Passé

créé, créée

Passé composé

ayant créé

INDICATIF

| SUBJONCTIF |

Présent
je place
tu places
il place
ns plaçons
vs placez
ils placent

Passé composé
j' ai placé
tu as placé
il a placé
ns avons placé
vs avez placé
ils ont placé

Présent
que je place
que tu places
qu' il place
que ns placions
que vs placiez
qu' ils placent

Imparfait
je plaçais
tu plaçais
il plaçait
ns placions
vs placiez
ils plaçaient

Plus-que-parfait
j' avais placé
tu avais placé
il avait placé
ns avions placé
vs aviez placé
ils avaient placé

Imparfait
que je plaçasse
que tu plaçasses
qu' il plaçât
que ns plaçassions
que vs plaçassiez
qu' ils plaçassent

Passé simple
je plaçai
tu plaças
il plaça
ns plaçâmes
vs plaçâtes
ils placèrent

Passé antérieur
j' eus placé
tu eus placé
il eut placé
ns eûmes placé
vs eûtes placé
ils eurent placé

Passé
que j' aie placé
que tu aies placé
qu' il ait placé
que ns ayons placé
que vs ayez placé
qu' ils aient placé

Futur simple
je placerai
tu placeras
il placera
ns placerons
vs placerez
ils placeront

Futur antérieur
j' aurai placé
tu auras placé
il aura placé
ns aurons placé
vs aurez placé
ils auront placé

Plus-que-parfait
que j' eusse placé
que tu eusses placé
qu' il eût placé
que ns eussions placé
que vs eussiez placé
qu' ils eussent placé

CONDITIONNEL

Présent
je placerais
tu placerais
il placerait
ns placerions
vs placeriez
ils placeraient

Passé 1re forme
j' aurais placé
tu aurais placé
il aurait placé
ns aurions placé
vs auriez placé
ils auraient placé

Passé 2e forme
j' eusse placé
tu eusses placé
il eût placé
ns eussions placé
vs eussiez placé
ils eussent placé

IMPÉRATIF

Présent
place   plaçons   placez

Passé
aie placé   ayons placé   ayez placé

INFINITIF

| PARTICIPE |

Présent
placer

Passé
avoir placé

Présent
plaçant

Passé
placé, e

Passé composé
ayant placé

INDICATIF

Présent
je mange
tu manges
il mange
ns mangeons
vs mangez
ils mangent

Passé composé
j ai mangé
tu as mangé
il a mangé
ns avons mangé
vs avez mangé
ils ont mangé

Imparfait
je mangeais
tu mangeais
il mangeait
ns mangions
vs mangiez
ils mangeaient

Plus-que-parfait
j avais mangé
tu avais mangé
il avait mangé
ns avions mangé
vs aviez mangé
ils avaient mangé

Passé simple
je mangeai
tu mangeas
il mangea
ns mangeâmes
vs mangeâtes
ils mangèrent

Passé antérieur
j eus mangé
tu eus mangé
il eut mangé
ns eûmes mangé
vs eûtes mangé
ils eurent mangé

Futur simple
je mangerai
tu mangeras
il mangera
ns mangerons
vs mangerez
ils mangeront

Futur antérieur
j aurai mangé
tu auras mangé
il aura mangé
ns aurons mangé
vs aurez mangé
ils auront mangé

SUBJONCTIF

Présent
que je mange
que tu manges
qu il mange
que ns mangions
que vs mangiez
qu ils mangent

Imparfait
que je mangeasse
que tu mangeasses
qu il mangeât
que ns mangeassions
que vs mangeassiez
qu ils mangeassent

Passé
que j aie mangé
que tu aies mangé
qu il ait mangé
que ns ayons mangé
que vs ayez mangé
qu ils aient mangé

Plus-que-parfait
que j eusse mangé
que tu eusses mangé
qu il eût mangé
que ns eussions mangé
que vs eussiez mangé
qu ils eussent mangé

CONDITIONNEL

Présent
je mangerais
tu mangerais
il mangerait
ns mangerions
vs mangeriez
ils mangeraient

Passé 1re forme
j aurais mangé
tu aurais mangé
il aurait mangé
ns aurions mangé
vs auriez mangé
ils auraient mangé

Passé 2e forme
j eusse mangé
tu eusses mangé
il eût mangé
ns eussions mangé
vs eussiez mangé
ils eussent mangé

IMPÉRATIF

Présent
mange   mangeons   mangez

Passé
aie mangé ayons mangé ayez mangé

INFINITIF

Présent
manger

Passé
avoir mangé

PARTICIPE

Présent	Passé	Passé composé
mangeant	mangé, e	ayant mangé

NAVIGUER

INDICATIF

Présent
je navigue
tu navigues
il navigue
ns naviguons
vs naviguez
ils naviguent

Passé composé
j' ai navigué
tu as navigué
il a navigué
ns avons navigué
vs avez navigué
ils ont navigué

Imparfait
je naviguais
tu naviguais
il naviguait
ns naviguions
vs naviguiez
ils naviguaient

Plus-que-parfait
j' avais navigué
tu avais navigué
il avait navigué
ns avions navigué
vs aviez navigué
ils avaient navigué

Passé simple
je naviguai
tu naviguas
il navigua
ns naviguâmes
vs naviguâtes
ils naviguèrent

Passé antérieur
j' eus navigué
tu eus navigué
il eut navigué
ns eûmes navigué
vs eûtes navigué
ils eurent navigué

Futur simple
je naviguerai
tu navigueras
il naviguera
ns naviguerons
vs naviguerez
ils navigueront

Futur antérieur
j' aurai navigué
tu auras navigué
il aura navigué
ns aurons navigué
vs aurez navigué
ils auront navigué

SUBJONCTIF

Présent
que je navigue
que tu navigues
qu' il navigue
que ns naviguions
que vs naviguiez
qu' ils naviguent

Imparfait
que je naviguasse
que tu naviguasses
qu' il naviguât
que ns naviguassions
que vs naviguassiez
qu' ils naviguassent

Passé
que j' aie navigué
que tu aies navigué
qu' il ait navigué
que ns ayons navigué
que vs ayez navigué
qu' ils aient navigué

Plus-que-parfait
que j' eusse navigué
que tu eusses navigué
qu' il eût navigué
que ns eussions navigué
que vs eussiez navigué
qu' ils eussent navigué

CONDITIONNEL

Présent
je naviguerais
tu naviguerais
il naviguerait
ns naviguerions
vs navigueriez
ils navigueraient

Passé 1re forme
j' aurais navigué
tu aurais navigué
il aurait navigué
ns aurions navigué
vs auriez navigué
ils auraient navigué

Passé 2e forme
j' eusse navigué
tu eusses navigué
il eût navigué
ns eussions navigué
vs eussiez navigué
ils eussent navigué

IMPÉRATIF

Présent
navigue naviguons naviguez

Passé
aie navigué ayons navigué ayez navigué

INFINITIF

Présent
naviguer

Passé
avoir navigué

PARTICIPE

Présent
naviguant

Passé
navigué, e

Passé composé
ayant navigué

INDICATIF

Présent
je cède
tu cèdes
il cède
ns cédons
vs cédez
ils cèdent

Imparfait
je cédais
tu cédais
il cédait
ns cédions
vs cédiez
ils cédaient

Passé simple
je cédai
tu cédas
il céda
ns cédâmes
vs cédâtes
ils cédèrent

Futur simple
je céderai (cèderai)
tu céderas (cèderas)
il cédera (cèdera)
ns céderons (cèderons)
vs céderez (cèderez)
ils céderont (cèderont)

Passé composé
j' ai cédé
tu as cédé
il a cédé
ns avons cédé
vs avez cédé
ils ont cédé

Plus-que-parfait
j' avais cédé
tu avais cédé
il avait cédé
ns avions cédé
vs aviez cédé
ils avaient cédé

Passé antérieur
j' eus cédé
tu eus cédé
il eut cédé
ns eûmes cédé
vs eûtes cédé
ils eurent cédé

Futur antérieur
j' aurai cédé
tu auras cédé
il aura cédé
ns aurons cédé
vs aurez cédé
ils auront cédé

SUBJONCTIF

Présent
que je cède
que tu cèdes
qu' il cède
que ns cédions
que vs cédiez
qu' ils cèdent

Imparfait
que je cédasse
que tu cédasses
qu' il cédât
que ns cédassions
que vs cédassiez
qu' ils cédassent

Passé
que j' aie cédé
que tu aies cédé
qu' il ait cédé
que ns ayons cédé
que vs ayez cédé
qu' ils aient cédé

Plus-que-parfait
que j' eusse cédé
que tu eusses cédé
qu' il eût cédé
que ns eussions cédé
que vs eussiez cédé
qu' ils eussent cédé

CONDITIONNEL

Présent
je céderais (cèderais)
tu céderais (cèderais)
il céderait (cèderait)
ns céderions (cèderions)
vs céderiez (cèderiez)
ils céderaient (cèderaient)

Passé 1re forme
j' aurais cédé
tu aurais cédé
il aurait cédé
ns aurions cédé
vs auriez cédé
ils auraient cédé

Passé 2e forme
j' eusse cédé
tu eusses cédé
il eût cédé
ns eussions cédé
vs eussiez cédé
ils eussent cédé

IMPÉRATIF

Présent
cède   cédons   cédez

Passé
aie cédé   ayons cédé   ayez cédé

INFINITIF

Présent
céder

Passé
avoir cédé

PARTICIPE

Présent
cédant

Passé
cédé, e

Passé composé
ayant cédé

INDICATIF

Présent
j' assiège
tu assièges
il assiège
ns assiégeons
vs assiégez
ils assiègent

Imparfait
j' assiégeais
tu assiégeais
il assiégeait
ns assiégions
vs assiégiez
ils assiégeaient

Passé simple
j' assiégeai
tu assiégeas
il assiégea
ns assiégeâmes
vs assiégeâtes
ils assiégèrent

Futur simple
j' assiégerai (assiègerai)
tu assiégeras (assiègeras)
il assiégera (assiègera)
ns assiégerons (assiègerons)
vs assiégerez (assiègerez)
ils assiégeront (assiègeront)

Passé composé
j' ai assiégé
tu as assiégé
il a assiégé
ns avons assiégé
vs avez assiégé
ils ont assiégé

Plus-que-parfait
j' avais assiégé
tu avais assiégé
il avait assiégé
ns avions assiégé
vs aviez assiégé
ils avaient assiégé

Passé antérieur
j' eus assiégé
tu eus assiégé
il eut assiégé
ns eûmes assiégé
vs eûtes assiégé
ils eurent assiégé

Futur antérieur
j' aurai assiégé
tu auras assiégé
il aura assiégé
ns aurons assiégé
vs aurez assiégé
ils auront assiégé

SUBJONCTIF

Présent
que j' assiège
que tu assièges
qu' il assiège
que ns assiégions
que vs assiégiez
qu' ils assiègent

Imparfait
que j' assiégeasse
que tu assiégeasses
qu' il assiégeât
que ns assiégeassions
que vs assiégeassiez
qu' ils assiégeassent

Passé
que j' aie assiégé
que tu aies assiégé
qu' il ait assiégé
que ns ayons assiégé
que vs ayez assiégé
qu' ils aient assiégé

Plus-que-parfait
que j' eusse assiégé
que tu eusses assiégé
qu' il eût assiégé
que ns eussions assiégé
que vs eussiez assiégé
qu' ils eussent assiégé

CONDITIONNEL

Présent
j' assiégerais (assiègerais)
tu assiégerais (assiègerais)
il assiégerait (assiègerait)
ns assiégerions (assiègerions)
vs assiégeriez (assiègeriez)
ils assiégeraient (assiègeraient)

Passé 1re forme
j' aurais assiégé
tu aurais assiégé
il aurait assiégé
ns aurions assiégé
vs auriez assiégé
ils auraient assiégé

Passé 2e forme
j' eusse assiégé
tu eusses assiégé
il eût assiégé
ns eussions assiégé
vs eussiez assiégé
ils eussent assiégé

IMPÉRATIF

Présent
assiège assiégeons assiégez

Passé
aie assiégé ayons assiégé ayez assiégé

INFINITIF

Présent
assiéger

Passé
avoir assiégé

PARTICIPE

Présent
assiégeant

Passé
assiégé, e

Passé composé
ayant assiégé

INDICATIF

Présent	Passé composé		SUBJONCTIF

Présent
je lève
tu lèves
il lève
ns levons
vs levez
ils lèvent

Passé composé
j' ai levé
tu as levé
il a levé
ns avons levé
vs avez levé
ils ont levé

SUBJONCTIF

Présent
que je lève
que tu lèves
qu' il lève
que ns levions
que vs leviez
qu' ils lèvent

Imparfait
je levais
tu levais
il levait
ns levions
vs leviez
ils levaient

Plus-que-parfait
j' avais levé
tu avais levé
il avait levé
ns avions levé
vs aviez levé
ils avaient levé

Imparfait
que je levasse
que tu levasses
qu' il levât
que ns levassions
que vs levassiez
qu' ils levassent

Passé simple
je levai
tu levas
il leva
ns levâmes
vs levâtes
ils levèrent

Passé antérieur
j' eus levé
tu eus levé
il eut levé
ns eûmes levé
vs eûtes levé
ils eurent levé

Passé
que j' aie levé
que tu aies levé
qu' il ait levé
que ns ayons levé
que vs ayez levé
qu' ils aient levé

Futur simple
je lèverai
tu lèveras
il lèvera
ns lèverons
vs lèverez
ils lèveront

Futur antérieur
j' aurai levé
tu auras levé
il aura levé
ns aurons levé
vs aurez levé
ils auront levé

Plus-que-parfait
que j' eusse levé
que tu eusses levé
qu' il eût levé
que ns eussions levé
que vs eussiez levé
qu' ils eussent levé

CONDITIONNEL

Présent
je lèverais
tu lèverais
il lèverait
ns lèverions
vs lèveriez
ils lèveraient

Passé 1re forme
j' aurais levé
tu aurais levé
il aurait levé
ns aurions levé
vs auriez levé
ils auraient levé

Passé 2e forme
j' eusse levé
tu eusses levé
il eût levé
ns eussions levé
vs eussiez levé
ils eussent levé

IMPÉRATIF

Présent
lève   levons   levez

Passé
aie levé   ayons levé   ayez levé

INFINITIF

Présent
lever

Passé
avoir levé

PARTICIPE

Présent
levant

Passé
levé, e

Passé composé
ayant levé

INDICATIF

Présent
j'	appelle
tu	appelles
il	appelle
ns	appelons
vs	appelez
ils	appellent

Passé composé
j'	ai	appelé
tu	as	appelé
il	a	appelé
ns	avons	appelé
vs	avez	appelé
ils	ont	appelé

Imparfait
j'	appelais
tu	appelais
il	appelait
ns	appelions
vs	appeliez
ils	appelaient

Plus-que-parfait
j'	avais	appelé
tu	avais	appelé
il	avait	appelé
ns	avions	appelé
vs	aviez	appelé
ils	avaient	appelé

Passé simple
j'	appelai
tu	appelas
il	appela
ns	appelâmes
vs	appelâtes
ils	appelèrent

Passé antérieur
j'	eus	appelé
tu	eus	appelé
il	eut	appelé
ns	eûmes	appelé
vs	eûtes	appelé
ils	eurent	appelé

Futur simple
j'	appellerai
tu	appelleras
il	appellera
ns	appellerons
vs	appellerez
ils	appelleront

Futur antérieur
j'	aurai	appelé
tu	auras	appelé
il	aura	appelé
ns	aurons	appelé
vs	aurez	appelé
ils	auront	appelé

SUBJONCTIF

Présent
que	j'	appelle
que	tu	appelles
qu'	il	appelle
que	ns	appelions
que	vs	appeliez
qu'	ils	appellent

Imparfait
que	j'	appelasse
que	tu	appelasses
qu'	il	appelât
que	ns	appelassions
que	vs	appelassiez
qu'	ils	appelassent

Passé
que	j'	aie	appelé
que	tu	aies	appelé
qu'	il	ait	appelé
que	ns	ayons	appelé
que	vs	ayez	appelé
qu'	ils	aient	appelé

Plus-que-parfait
que	j'	eusse	appelé
que	tu	eusses	appelé
qu'	il	eût	appelé
que	ns	eussions	appelé
que	vs	eussiez	appelé
qu'	ils	eussent	appelé

CONDITIONNEL

Présent
j'	appellerais
tu	appellerais
il	appellerait
ns	appellerions
vs	appelleriez
ils	appelleraient

Passé 1re forme
j'	aurais	appelé
tu	aurais	appelé
il	aurait	appelé
ns	aurions	appelé
vs	auriez	appelé
ils	auraient	appelé

Passé 2e forme
j'	eusse	appelé
tu	eusses	appelé
il	eût	appelé
ns	eussions	appelé
vs	eussiez	appelé
ils	eussent	appelé

IMPÉRATIF

Présent
appelle   appelons   appelez

Passé
aie appelé   ayons appelé   ayez appelé

INFINITIF

Présent	Passé
appeler	avoir appelé

PARTICIPE

Présent	Passé	Passé composé
appelant	appelé, e	ayant appelé

GELER

INDICATIF				SUBJONCTIF	

INDICATIF

Présent		Passé composé		**SUBJONCTIF** Présent	
je	gèle	j'	ai gelé	que je	gèle
tu	gèles	tu	as gelé	que tu	gèles
il	gèle	il	a gelé	qu' il	gèle
ns	gelons	ns	avons gelé	que ns	gelions
vs	gelez	vs	avez gelé	que vs	geliez
ils	gèlent	ils	ont gelé	qu' ils	gèlent

Imparfait		Plus-que-parfait		Imparfait	
je	gelais	j'	avais gelé	que je	gelasse
tu	gelais	tu	avais gelé	que tu	gelasses
il	gelait	il	avait gelé	qu' il	gelât
ns	gelions	ns	avions gelé	que ns	gelassions
vs	geliez	vs	aviez gelé	que vs	gelassiez
ils	gelaient	ils	avaient gelé	qu' ils	gelassent

Passé simple		Passé antérieur		Passé	
je	gelai	j'	eus gelé	que j'	aie gelé
tu	gelas	tu	eus gelé	que tu	aies gelé
il	gela	il	eut gelé	qu' il	ait gelé
ns	gelâmes	ns	eûmes gelé	que ns	ayons gelé
vs	gelâtes	vs	eûtes gelé	que vs	ayez gelé
ils	gelèrent	ils	eurent gelé	qu' ils	aient gelé

Futur simple		Futur antérieur		Plus-que-parfait	
je	gèlerai	j'	aurai gelé	que j'	eusse gelé
tu	gèleras	tu	auras gelé	que tu	eusses gelé
il	gèlera	il	aura gelé	qu' il	eût gelé
ns	gèlerons	ns	aurons gelé	que ns	eussions gelé
vs	gèlerez	vs	aurez gelé	que vs	eussiez gelé
ils	gèleront	ils	auront gelé	qu' ils	eussent gelé

CONDITIONNEL

Présent		Passé 1re forme		Passé 2e forme	
je	gèlerais	j'	aurais gelé	j'	eusse gelé
tu	gèlerais	tu	aurais gelé	tu	eusses gelé
il	gèlerait	il	aurait gelé	il	eût gelé
ns	gèlerions	ns	aurions gelé	ns	eussions gelé
vs	gèleriez	vs	auriez gelé	vs	eussiez gelé
ils	gèleraient	ils	auraient gelé	ils	eussent gelé

IMPÉRATIF

Présent			Passé		
gèle	gelons	gelez	aie gelé	ayons gelé	ayez gelé

INFINITIF		PARTICIPE		

INFINITIF

Présent	Passé	**PARTICIPE** Présent	Passé	Passé composé
geler	avoir gelé	gelant	gelé, e	ayant gelé

JETER

INDICATIF

Présent
je	jette
tu	jettes
il	jette
ns	jetons
vs	jetez
ils	jettent

Passé composé
j'	ai	jeté
tu	as	jeté
il	a	jeté
ns	avons	jeté
vs	avez	jeté
ils	ont	jeté

Imparfait
je	jetais
tu	jetais
il	jetait
ns	jetions
vs	jetiez
ils	jetaient

Plus-que-parfait
j'	avais	jeté
tu	avais	jeté
il	avait	jeté
ns	avions	jeté
vs	aviez	jeté
ils	avaient	jeté

Passé simple
je	jetai
tu	jetas
il	jeta
ns	jetâmes
vs	jetâtes
ils	jetèrent

Passé antérieur
j'	eus	jeté
tu	eus	jeté
il	eut	jeté
ns	eûmes	jeté
vs	eûtes	jeté
ils	eurent	jeté

Futur simple
je	jetterai
tu	jetteras
il	jettera
ns	jetterons
vs	jetterez
ils	jetteront

Futur antérieur
j'	aurai	jeté
tu	auras	jeté
il	aura	jeté
ns	aurons	jeté
vs	aurez	jeté
ils	auront	jeté

SUBJONCTIF

Présent
que	je	jette
que	tu	jettes
qu'	il	jette
que	ns	jetions
que	vs	jetiez
qu'	ils	jettent

Imparfait
que	je	jetasse
que	tu	jetasses
qu'	il	jetât
que	ns	jetassions
que	vs	jetassiez
qu'	ils	jetassent

Passé
que	j'	aie	jeté
que	tu	aies	jeté
qu'	il	ait	jeté
que	ns	ayons	jeté
que	vs	ayez	jeté
qu'	ils	aient	jeté

Plus-que-parfait
que	j'	eusse	jeté
que	tu	eusses	jeté
qu'	il	eût	jeté
que	ns	eussions	jeté
que	vs	eussiez	jeté
qu'	ils	eussent	jeté

CONDITIONNEL

Présent
je	jetterais
tu	jetterais
il	jetterait
ns	jetterions
vs	jetteriez
ils	jetteraient

Passé 1re forme
j'	aurais	jeté
tu	aurais	jeté
il	aurait	jeté
ns	aurions	jeté
vs	auriez	jeté
ils	auraient	jeté

Passé 2e forme
j'	eusse	jeté
tu	eusses	jeté
il	eût	jeté
ns	eussions	jeté
vs	eussiez	jeté
ils	eussent	jeté

IMPÉRATIF

Présent
jette	jetons	jetez

Passé
aie jeté	ayons jeté	ayez jeté

INFINITIF

Présent	Passé
jeter	avoir jeté

PARTICIPE

Présent	Passé	Passé composé
jetant	jeté, e	ayant jeté

INDICATIF

Présent
j'	achète
tu	achètes
il	achète
ns	achetons
vs	achetez
ils	achètent

Passé composé
j'	ai	acheté
tu	as	acheté
il	a	acheté
ns	avons	acheté
vs	avez	acheté
ils	ont	acheté

Imparfait
j'	achetais
tu	achetais
il	achetait
ns	achetions
vs	achetiez
ils	achetaient

Plus-que-parfait
j'	avais	acheté
tu	avais	acheté
il	avait	acheté
ns	avions	acheté
vs	aviez	acheté
ils	avaient	acheté

Passé simple
j'	achetai
tu	achetas
il	acheta
ns	achetâmes
vs	achetâtes
ils	achetèrent

Passé antérieur
j'	eus	acheté
tu	eus	acheté
il	eut	acheté
ns	eûmes	acheté
vs	eûtes	acheté
ils	eurent	acheté

Futur simple
j'	achèterai
tu	achèteras
il	achètera
ns	achèterons
vs	achèterez
ils	achèteront

Futur antérieur
j'	aurai	acheté
tu	auras	acheté
il	aura	acheté
ns	aurons	acheté
vs	aurez	acheté
ils	auront	acheté

SUBJONCTIF

Présent
que	j'	achète
que	tu	achètes
qu'	il	achète
que	ns	achetions
que	vs	achetiez
qu'	ils	achètent

Imparfait
que	j'	achetasse
que	tu	achetasses
qu'	il	achetât
que	ns	achetassions
que	vs	achetassiez
qu'	ils	achetassent

Passé
que	j'	aie	acheté
que	tu	aies	acheté
qu'	il	ait	acheté
que	ns	ayons	acheté
que	vs	ayez	acheté
qu'	ils	aient	acheté

Plus-que-parfait
que	j'	eusse	acheté
que	tu	eusses	acheté
qu'	il	eût	acheté
que	ns	eussions	acheté
que	vs	eussiez	acheté
qu'	ils	eussent	acheté

CONDITIONNEL

Présent
j'	achèterais
tu	achèterais
il	achèterait
ns	achèterions
vs	achèteriez
ils	achèteraient

Passé 1re forme
j'	aurais	acheté
tu	aurais	acheté
il	aurait	acheté
ns	aurions	acheté
vs	auriez	acheté
ils	auraient	acheté

Passé 2e forme
j'	eusse	acheté
tu	eusses	acheté
il	eût	acheté
ns	eussions	acheté
vs	eussiez	acheté
ils	eussent	acheté

IMPÉRATIF

Présent
achète   achetons   achetez

Passé
aie acheté   ayons acheté   ayez acheté

INFINITIF

Présent	Passé
acheter	avoir acheté

PARTICIPE

Présent	Passé	Passé composé
achetant	acheté, e	ayant acheté

PAYER

INDICATIF

Présent
je	paie
tu	paies
il	paie
ns	payons
vs	payez
ils	paient

Passé composé
j'	ai	payé
tu	as	payé
il	a	payé
ns	avons	payé
vs	avez	payé
ils	ont	payé

Imparfait
je	payais
tu	payais
il	payait
ns	payions
vs	payiez
ils	payaient

Plus-que-parfait
j'	avais	payé
tu	avais	payé
il	avait	payé
ns	avions	payé
vs	aviez	payé
ils	avaient	payé

Passé simple
je	payai
tu	payas
il	paya
ns	payâmes
vs	payâtes
ils	payèrent

Passé antérieur
j'	eus	payé
tu	eus	payé
il	eut	payé
ns	eûmes	payé
vs	eûtes	payé
ils	eurent	payé

Futur simple
je	paierai
tu	paieras
il	paiera
ns	paierons
vs	paierez
ils	paieront

Futur antérieur
j'	aurai	payé
tu	auras	payé
il	aura	payé
ns	aurons	payé
vs	aurez	payé
ils	auront	payé

SUBJONCTIF

Présent
que je	paie
que tu	paies
qu' il	paie
que ns	payions
que vs	payiez
qu' ils	paient

Imparfait
que je	payasse
que tu	payasses
qu' il	payât
que ns	payassions
que vs	payassiez
qu' ils	payassent

Passé
que j'	aie	payé
que tu	aies	payé
qu' il	ait	payé
que ns	ayons	payé
que vs	ayez	payé
qu' ils	aient	payé

Plus-que-parfait
que j'	eusse	payé
que tu	eusses	payé
qu' il	eût	payé
que ns	eussions	payé
que vs	eussiez	payé
qu' ils	eussent	payé

CONDITIONNEL

Présent
je	paierais
tu	paierais
il	paierait
ns	paierions
vs	paieriez
ils	paieraient

Passé 1re forme
j'	aurais	payé
tu	aurais	payé
il	aurait	payé
ns	aurions	payé
vs	auriez	payé
ils	auraient	payé

Passé 2e forme
j'	eusse	payé
tu	eusses	payé
il	eût	payé
ns	eussions	payé
vs	eussiez	payé
ils	eussent	payé

IMPÉRATIF

Présent
paie   payons   payez

Passé
aie payé   ayons payé   ayez payé

INFINITIF

Présent	Passé
payer	avoir payé

PARTICIPE

Présent	Passé	Passé composé
payant	payé, e	ayant payé

INDICATIF

Présent		Passé composé	
j'	essuie	j' ai	essuyé
tu	essuies	tu as	essuyé
il	essuie	il a	essuyé
ns	essuyons	ns avons	essuyé
vs	essuyez	vs avez	essuyé
ils	essuient	ils ont	essuyé

Imparfait		Plus-que-parfait	
j'	essuyais	j' avais	essuyé
tu	essuyais	tu avais	essuyé
il	essuyait	il avait	essuyé
ns	essuyions	ns avions	essuyé
vs	essuyiez	vs aviez	essuyé
ils	essuyaient	ils avaient	essuyé

Passé simple		Passé antérieur	
j'	essuyai	j' eus	essuyé
tu	essuyas	tu eus	essuyé
il	essuya	il eut	essuyé
ns	essuyâmes	ns eûmes	essuyé
vs	essuyâtes	vs eûtes	essuyé
ils	essuyèrent	ils eurent	essuyé

Futur simple		Futur antérieur	
j'	essuierai	j' aurai	essuyé
tu	essuieras	tu auras	essuyé
il	essuiera	il aura	essuyé
ns	essuierons	ns aurons	essuyé
vs	essuierez	vs aurez	essuyé
ils	essuieront	ils auront	essuyé

SUBJONCTIF

Présent	
que j'	essuie
que tu	essuies
qu' il	essuie
que ns	essuyions
que vs	essuyiez
qu' ils	essuient

Imparfait	
que j'	essuyasse
que tu	essuyasses
qu' il	essuyât
que ns	essuyassions
que vs	essuyassiez
qu' ils	essuyassent

Passé		
que j'	aie	essuyé
que tu	aies	essuyé
qu' il	ait	essuyé
que ns	ayons	essuyé
que vs	ayez	essuyé
qu' ils	aient	essuyé

Plus-que-parfait		
que j'	eusse	essuyé
que tu	eusses	essuyé
qu' il	eût	essuyé
que ns	eussions	essuyé
que vs	eussiez	essuyé
qu' ils	eussent	essuyé

CONDITIONNEL

Présent		Passé 1re forme		Passé 2e forme	
j'	essuierais	j' aurais	essuyé	j' eusse	essuyé
tu	essuierais	tu aurais	essuyé	tu eusses	essuyé
il	essuierait	il aurait	essuyé	il eût	essuyé
ns	essuierions	ns aurions	essuyé	ns eussions	essuyé
vs	essuieriez	vs auriez	essuyé	vs eussiez	essuyé
ils	essuieraient	ils auraient	essuyé	ils eussent	essuyé

IMPÉRATIF

Présent			Passé		
essuie	essuyons	essuyez	aie essuyé	ayons essuyé	ayez essuyé

INFINITIF

Présent	Passé
essuyer	avoir essuyé

PARTICIPE

Présent	Passé	Passé composé
essuyant	essuyé, e	ayant essuyé

INDICATIF

Présent
j'	emploie
tu	emploies
il	emploie
ns	employons
vs	employez
ils	emploient

Passé composé
j'	ai	employé
tu	as	employé
il	a	employé
ns	avons	employé
vs	avez	employé
ils	ont	employé

Imparfait
j'	employais
tu	employais
il	employait
ns	employions
vs	employiez
ils	employaient

Plus-que-parfait
j'	avais	employé
tu	avais	employé
il	avait	employé
ns	avions	employé
vs	aviez	employé
ils	avaient	employé

Passé simple
j'	employai
tu	employas
il	employa
ns	employâmes
vs	employâtes
ils	employèrent

Passé antérieur
j'	eus	employé
tu	eus	employé
il	eut	employé
ns	eûmes	employé
vs	eûtes	employé
ils	eurent	employé

Futur simple
j'	emploierai
tu	emploieras
il	emploiera
ns	emploierons
vs	emploierez
ils	emploieront

Futur antérieur
j'	aurai	employé
tu	auras	employé
il	aura	employé
ns	aurons	employé
vs	aurez	employé
ils	auront	employé

SUBJONCTIF

Présent
que	j'	emploie
que	tu	emploies
qu'	il	emploie
que	ns	employions
que	vs	employiez
qu'	ils	emploient

Imparfait
que	j'	employasse
que	tu	employasses
qu'	il	employât
que	ns	employassions
que	vs	employassiez
qu'	ils	employassent

Passé
que	j'	aie	employé
que	tu	aies	employé
qu'	il	ait	employé
que	ns	ayons	employé
que	vs	ayez	employé
qu'	ils	aient	employé

Plus-que-parfait
que	j'	eusse	employé
que	tu	eusses	employé
qu'	il	eût	employé
que	ns	eussions	employé
que	vs	eussiez	employé
qu'	ils	eussent	employé

CONDITIONNEL

Présent
j'	emploierais
tu	emploierais
il	emploierait
ns	emploierions
vs	emploieriez
ils	emploieraient

Passé 1re forme
j'	aurais	employé
tu	aurais	employé
il	aurait	employé
ns	aurions	employé
vs	auriez	employé
ils	auraient	employé

Passé 2e forme
j'	eusse	employé
tu	eusses	employé
il	eût	employé
ns	eussions	employé
vs	eussiez	employé
ils	eussent	employé

IMPÉRATIF

Présent
emploie   employons   employez

Passé
aie employé   ayons employé   ayez employé

INFINITIF

Présent	Passé
employer	avoir employé

PARTICIPE

Présent	Passé	Passé composé
employant	employé, e	ayant employé

INDICATIF

Présent	Passé composé	
j' envoie	j' ai	envoyé
tu envoies	tu as	envoyé
il envoie	il a	envoyé
ns envoyons	ns avons	envoyé
vs envoyez	vs avez	envoyé
ils envoient	ils ont	envoyé

Imparfait	Plus-que-parfait	
j' envoyais	j' avais	envoyé
tu envoyais	tu avais	envoyé
il envoyait	il avait	envoyé
ns envoyions	ns avions	envoyé
vs envoyiez	vs aviez	envoyé
ils envoyaient	ils avaient	envoyé

Passé simple	Passé antérieur	
j' envoyai	j' eus	envoyé
tu envoyas	tu eus	envoyé
il envoya	il eut	envoyé
ns envoyâmes	ns eûmes	envoyé
vs envoyâtes	vs eûtes	envoyé
ils envoyèrent	ils eurent	envoyé

Futur simple	Futur antérieur	
j' enverrai	j' aurai	envoyé
tu enverras	tu auras	envoyé
il enverra	il aura	envoyé
ns enverrons	ns aurons	envoyé
vs enverrez	vs aurez	envoyé
ils enverront	ils auront	envoyé

SUBJONCTIF

Présent		
que j' envoie		
que tu envoies		
qu' il envoie		
que ns envoyions		
que vs envoyiez		
qu' ils envoient		

Imparfait		
que j' envoyasse		
que tu envoyasses		
qu' il envoyât		
que ns envoyassions		
que vs envoyassiez		
qu' ils envoyassent		

Passé		
que j' aie	envoyé
que tu aies	envoyé
qu' il ait	envoyé
que ns ayons	envoyé
que vs ayez	envoyé
qu' ils aient	envoyé

Plus-que-parfait		
que j' eusse	envoyé
que tu eusses	envoyé
qu' il eût	envoyé
que ns eussions	envoyé
que vs eussiez	envoyé
qu' ils eussent	envoyé

CONDITIONNEL

Présent	Passé 1re forme		Passé 2e forme	
j' enverrais	j' aurais	envoyé	j' eusse	envoyé
tu enverrais	tu aurais	envoyé	tu eusses	envoyé
il enverrait	il aurait	envoyé	il eût	envoyé
ns enverrions	ns aurions	envoyé	ns eussions	envoyé
vs enverriez	vs auriez	envoyé	vs eussiez	envoyé
ils enverraient	ils auraient	envoyé	ils eussent	envoyé

IMPÉRATIF

Présent			Passé		
envoie	envoyons	envoyez	aie envoyé	ayons envoyé	ayez envoyé

INFINITIF

Présent	Passé
envoyer	avoir envoyé

PARTICIPE

Présent	Passé	Passé composé
envoyant	envoyé, e	ayant envoyé

INDICATIF   SUBJONCTIF

Présent	Passé composé	Présent
je finis	j' ai fini	que je finisse
tu finis	tu as fini	que tu finisses
il finit	il a fini	qu' il finisse
ns finissons	ns avons fini	que ns finissions
vs finissez	vs avez fini	que vs finissiez
ils finissent	ils ont fini	qu' ils finissent

Imparfait	Plus-que-parfait	Imparfait
je finissais	j' avais fini	que je finisse
tu finissais	tu avais fini	que tu finisses
il finissait	il avait fini	qu' il finît
ns finissions	ns avions fini	que ns finissions
vs finissiez	vs aviez fini	que vs finissiez
ils finissaient	ils avaient fini	qu' ils finissent

Passé simple	Passé antérieur	Passé
je finis	j' eus fini	que j' aie fini
tu finis	tu eus fini	que tu aies fini
il finit	il eut fini	qu' il ait fini
ns finîmes	ns eûmes fini	que ns ayons fini
vs finîtes	vs eûtes fini	que vs ayez fini
ils finirent	ils eurent fini	qu' ils aient fini

Futur simple	Futur antérieur	Plus-que-parfait
je finirai	j' aurai fini	que j' eusse fini
tu finiras	tu auras fini	que tu eusses fini
il finira	il aura fini	qu' il eût fini
ns finirons	ns aurons fini	que ns eussions fini
vs finirez	vs aurez fini	que vs eussiez fini
ils finiront	ils auront fini	qu' ils eussent fini

CONDITIONNEL

Présent	Passé 1re forme	Passé 2e forme
je finirais	j' aurais fini	j' eusse fini
tu finirais	tu aurais fini	tu eusses fini
il finirait	il aurait fini	il eût fini
ns finirions	ns aurions fini	ns eussions fini
vs finiriez	vs auriez fini	vs eussiez fini
ils finiraient	ils auraient fini	ils eussent fini

IMPÉRATIF

Présent			Passé		
finis	finissons	finissez	aie fini	ayons fini	ayez fini

INFINITIF   PARTICIPE

Présent	Passé	Présent	Passé	Passé composé
finir	avoir fini	finissant	fini, e	ayant fini

INDICATIF | SUBJONCTIF

Présent	Passé composé		Présent	
je hais	j' ai	haï	que je haïsse	
tu hais	tu as	haï	que tu haïsses	
il hait	il a	haï	qu' il haïsse	
ns haïssons	ns avons	haï	que ns haïssions	
vs haïssez	vs avez	haï	que vs haïssiez	
ils haïssent	ils ont	haï	qu' ils haïssent	
Imparfait	**Plus-que-parfait**		**Imparfait**	
je haïssais	j' avais	haï	que je haïsse	
tu haïssais	tu avais	haï	que tu haïsses	
il haïssait	il avait	haï	qu' il haït	
ns haïssions	ns avions	haï	que ns haïssions	
vs haïssiez	vs aviez	haï	que vs haïssiez	
ils haïssaient	ils avaient	haï	qu' ils haïssent	
Passé simple	**Passé antérieur**		**Passé**	
je haïs	j' eus	haï	que j' aie	haï
tu haïs	tu eus	haï	que tu aies	haï
il haït	il eut	haï	qu' il ait	haï
ns haïmes	ns eûmes	haï	que ns ayons	haï
vs haïtes	vs eûtes	haï	que vs ayez	haï
ils haïrent	ils eurent	haï	qu' ils aient	haï
Futur simple	**Futur antérieur**		**Plus-que-parfait**	
je haïrai	j' aurai	haï	que j' eusse	haï
tu haïras	tu auras	haï	que tu eusses	haï
il haïra	il aura	haï	qu' il eût	haï
ns haïrons	ns aurons	haï	que ns eussions	haï
vs haïrez	vs aurez	haï	que vs eussiez	haï
ils haïront	ils auront	haï	qu' ils eussent	haï

CONDITIONNEL

Présent	Passé 1re forme		Passé 2e forme	
je haïrais	j' aurais	haï	j' eusse	haï
tu haïrais	tu aurais	haï	tu eusses	haï
il haïrait	il aurait	haï	il eût	haï
ns haïrions	ns aurions	haï	ns eussions	haï
vs haïriez	vs auriez	haï	vs eussiez	haï
ils haïraient	ils auraient	haï	ils eussent	haï

IMPÉRATIF

Présent			Passé		
hais	haïssons	haïssez	aie haï	ayons haï	ayez haï

INFINITIF | PARTICIPE

Présent	Passé	Présent	Passé	Passé composé
haïr	avoir haï	haïssant	haï, haïe	ayant haï

INDICATIF

Présent
je	dors
tu	dors
il	dort
ns	dormons
vs	dormez
ils	dorment

Passé composé
j'	ai	dormi
tu	as	dormi
il	a	dormi
ns	avons	dormi
vs	avez	dormi
ils	ont	dormi

Imparfait
je	dormais
tu	dormais
il	dormait
ns	dormions
vs	dormiez
ils	dormaient

Plus-que-parfait
j'	avais	dormi
tu	avais	dormi
il	avait	dormi
ns	avions	dormi
vs	aviez	dormi
ils	avaient	dormi

Passé simple
je	dormis
tu	dormis
il	dormit
ns	dormîmes
vs	dormîtes
ils	dormirent

Passé antérieur
j'	eus	dormi
tu	eus	dormi
il	eut	dormi
ns	eûmes	dormi
vs	eûtes	dormi
ils	eurent	dormi

Futur simple
je	dormirai
tu	dormiras
il	dormira
ns	dormirons
vs	dormirez
ils	dormiront

Futur antérieur
j'	aurai	dormi
tu	auras	dormi
il	aura	dormi
ns	aurons	dormi
vs	aurez	dormi
ils	auront	dormi

SUBJONCTIF

Présent
que	je	dorme
que	tu	dormes
qu'	il	dorme
que	ns	dormions
que	vs	dormiez
qu'	ils	dorment

Imparfait
que	je	dormisse
que	tu	dormisses
qu'	il	dormît
que	ns	dormissions
que	vs	dormissiez
qu'	ils	dormissent

Passé
que	j'	aie	dormi
que	tu	aies	dormi
qu'	il	ait	dormi
que	ns	ayons	dormi
que	vs	ayez	dormi
qu'	ils	aient	dormi

Plus-que-parfait
que	j'	eusse	dormi
que	tu	eusses	dormi
qu'	il	eût	dormi
que	ns	eussions	dormi
que	vs	eussiez	dormi
qu'	ils	eussent	dormi

CONDITIONNEL

Présent
je	dormirais
tu	dormirais
il	dormirait
ns	dormirions
vs	dormiriez
ils	dormiraient

Passé 1ʳᵉ forme
j'	aurais	dormi
tu	aurais	dormi
il	aurait	dormi
ns	aurions	dormi
vs	auriez	dormi
ils	auraient	dormi

Passé 2ᵉ forme
j'	eusse	dormi
tu	eusses	dormi
il	eût	dormi
ns	eussions	dormi
vs	eussiez	dormi
ils	eussent	dormi

IMPÉRATIF

Présent
dors   dormons   dormez

Passé
aie dormi   ayons dormi   ayez dormi

INFINITIF

Présent	Passé
dormir	avoir dormi

PARTICIPE

Présent	Passé	Passé composé
dormant	dormi	ayant dormi

VÊTIR

INDICATIF

Présent

je	vêts
tu	vêts
il	vêt
ns	vêtons
vs	vêtez
ils	vêtent

Passé composé

j'	ai	vêtu
tu	as	vêtu
il	a	vêtu
ns	avons	vêtu
vs	avez	vêtu
ils	ont	vêtu

Imparfait

je	vêtais
tu	vêtais
il	vêtait
ns	vêtions
vs	vêtiez
ils	vêtaient

Plus-que-parfait

j'	avais	vêtu
tu	avais	vêtu
il	avait	vêtu
ns	avions	vêtu
vs	aviez	vêtu
ils	avaient	vêtu

Passé simple

je	vêtis
tu	vêtis
il	vêtit
ns	vêtîmes
vs	vêtîtes
ils	vêtirent

Passé antérieur

j'	eus	vêtu
tu	eus	vêtu
il	eut	vêtu
ns	eûmes	vêtu
vs	eûtes	vêtu
ils	eurent	vêtu

Futur simple

je	vêtirai
tu	vêtiras
il	vêtira
ns	vêtirons
vs	vêtirez
ils	vêtiront

Futur antérieur

j'	aurai	vêtu
tu	auras	vêtu
il	aura	vêtu
ns	aurons	vêtu
vs	aurez	vêtu
ils	auront	vêtu

SUBJONCTIF

Présent

que	je	vête
que	tu	vêtes
qu'	il	vête
que	ns	vêtions
que	vs	vêtiez
qu'	ils	vêtent

Imparfait

que	je	vêtisse
que	tu	vêtisses
qu'	il	vêtît
que	ns	vêtissions
que	vs	vêtissiez
qu'	ils	vêtissent

Passé

que	j'	aie vêtu
que	tu	aies vêtu
qu'	il	ait vêtu
que	ns	ayons vêtu
que	vs	ayez vêtu
qu'	ils	aient vêtu

Plus-que-parfait

que	j'	eusse vêtu
que	tu	eusses vêtu
qu'	il	eût vêtu
que	ns	eussions vêtu
que	vs	eussiez vêtu
qu'	ils	eussent vêtu

CONDITIONNEL

Présent

je	vêtirais
tu	vêtirais
il	vêtirait
ns	vêtirions
vs	vêtiriez
ils	vêtiraient

Passé 1re forme

j'	aurais	vêtu
tu	aurais	vêtu
il	aurait	vêtu
ns	aurions	vêtu
vs	auriez	vêtu
ils	auraient	vêtu

Passé 2e forme

j'	eusse	vêtu
tu	eusses	vêtu
il	eût	vêtu
ns	eussions	vêtu
vs	eussiez	vêtu
ils	eussent	vêtu

IMPÉRATIF

Présent

vêts	vêtons	vêtez

Passé

aie vêtu	ayons vêtu	ayez vêtu

INFINITIF

Présent	Passé
vêtir	avoir vêtu

PARTICIPE

Présent	Passé	Passé composé
vêtant	vêtu, e	ayant vêtu

INDICATIF

Présent
je	bous
tu	bous
il	bout
ns	bouillons
vs	bouillez
ils	bouillent

Passé composé
j'	ai	bouilli
tu	as	bouilli
il	a	bouilli
ns	avons	bouilli
vs	avez	bouilli
ils	ont	bouilli

Imparfait
je	bouillais
tu	bouillais
il	bouillait
ns	bouillions
vs	bouilliez
ils	bouillaient

Plus-que-parfait
j'	avais	bouilli
tu	avais	bouilli
il	avait	bouilli
ns	avions	bouilli
vs	aviez	bouilli
ils	avaient	bouilli

Passé simple
je	bouillis
tu	bouillis
il	bouillit
ns	bouillîmes
vs	bouillîtes
ils	bouillirent

Passé antérieur
j'	eus	bouilli
tu	eus	bouilli
il	eut	bouilli
ns	eûmes	bouilli
vs	eûtes	bouilli
ils	eurent	bouilli

Futur simple
je	bouillirai
tu	bouilliras
il	bouillira
ns	bouillirons
vs	bouillirez
ils	bouilliront

Futur antérieur
j'	aurai	bouilli
tu	auras	bouilli
il	aura	bouilli
ns	aurons	bouilli
vs	aurez	bouilli
ils	auront	bouilli

SUBJONCTIF

Présent
que je	bouille
que tu	bouilles
qu' il	bouille
que ns	bouillions
que vs	bouilliez
qu' ils	bouillent

Imparfait
que je	bouillisse
que tu	bouillisses
qu' il	bouillît
que ns	bouillissions
que vs	bouillissiez
qu' ils	bouillissent

Passé
que j'	aie	bouilli
que tu	aies	bouilli
qu' il	ait	bouilli
que ns	ayons	bouilli
que vs	ayez	bouilli
qu' ils	aient	bouilli

Plus-que-parfait
que j'	eusse	bouilli
que tu	eusses	bouilli
qu' il	eût	bouilli
que ns	eussions	bouilli
que vs	eussiez	bouilli
qu' ils	eussent	bouilli

CONDITIONNEL

Présent
je	bouillirais
tu	bouillirais
il	bouillirait
ns	bouillirions
vs	bouilliriez
ils	bouilliraient

Passé 1ʳᵉ forme
j'	aurais	bouilli
tu	aurais	bouilli
il	aurait	bouilli
ns	aurions	bouilli
vs	auriez	bouilli
ils	auraient	bouilli

Passé 2ᵉ forme
j'	eusse	bouilli
tu	eusses	bouilli
il	eût	bouilli
ns	eussions	bouilli
vs	eussiez	bouilli
ils	eussent	bouilli

IMPÉRATIF

Présent

bous bouillons bouillez

Passé

aie bouilli ayons bouilli ayez bouilli

INFINITIF

Présent	**Passé**
bouillir	avoir bouilli

PARTICIPE

Présent	**Passé**	**Passé composé**
bouillant	bouilli, e	ayant bouilli

INDICATIF

Présent

je	cours
tu	cours
il	court
ns	courons
vs	courez
ils	courent

Passé composé

j'	ai	couru
tu	as	couru
il	a	couru
ns	avons	couru
vs	avez	couru
ils	ont	couru

Imparfait

je	courais
tu	courais
il	courait
ns	courions
vs	couriez
ils	couraient

Plus-que-parfait

j'	avais	couru
tu	avais	couru
il	avait	couru
ns	avions	couru
vs	aviez	couru
ils	avaient	couru

Passé simple

je	courus
tu	courus
il	courut
ns	courûmes
vs	courûtes
ils	coururent

Passé antérieur

j'	eus	couru
tu	eus	couru
il	eut	couru
ns	eûmes	couru
vs	eûtes	couru
ils	eurent	couru

Futur simple

je	courrai
tu	courras
il	courra
ns	courrons
vs	courrez
ils	courront

Futur antérieur

j'	aurai	couru
tu	auras	couru
il	aura	couru
ns	aurons	couru
vs	aurez	couru
ils	auront	couru

SUBJONCTIF

Présent

que	je	coure
que	tu	coures
qu'	il	coure
que	ns	courions
que	vs	couriez
qu'	ils	courent

Imparfait

que	je	courusse
que	tu	courusses
qu'	il	courût
que	ns	courussions
que	vs	courussiez
qu'	ils	courussent

Passé

que	j'	aie	couru
que	tu	aies	couru
qu'	il	ait	couru
que	ns	ayons	couru
que	vs	ayez	couru
qu'	ils	aient	couru

Plus-que-parfait

que	j'	eusse	couru
que	tu	eusses	couru
qu'	il	eût	couru
que	ns	eussions	couru
que	vs	eussiez	couru
qu'	ils	eussent	couru

CONDITIONNEL

Présent

je	courrais
tu	courrais
il	courrait
ns	courrions
vs	courriez
ils	courraient

Passé 1ʳᵉ forme

j'	aurais	couru
tu	aurais	couru
il	aurait	couru
ns	aurions	couru
vs	auriez	couru
ils	auraient	couru

Passé 2ᵉ forme

j'	eusse	couru
tu	eusses	couru
il	eût	couru
ns	eussions	couru
vs	eussiez	couru
ils	eussent	couru

IMPÉRATIF

Présent

cours   courons   courez

Passé

aie couru   ayons couru   ayez couru

INFINITIF

Présent	**Passé**
courir	avoir couru

PARTICIPE

Présent	**Passé**	**Passé composé**
courant	couru, e	ayant couru

MOURIR

INDICATIF

Présent

je	meurs
tu	meurs
il	meurt
ns	mourons
vs	mourez
ils	meurent

Passé composé

je	suis	mort
tu	es	mort
il	est	mort
ns	sommes	morts
vs	êtes	morts
ils	sont	morts

Imparfait

je	mourais
tu	mourais
il	mourait
ns	mourions
vs	mouriez
ils	mouraient

Plus-que-parfait

j	étais	mort
tu	étais	mort
il	était	mort
ns	étions	morts
vs	étiez	morts
ils	étaient	morts

Passé simple

je	mourus
tu	mourus
il	mourut
ns	mourûmes
vs	mourûtes
ils	moururent

Passé antérieur

je	fus	mort
tu	fus	mort
il	fut	mort
ns	fûmes	morts
vs	fûtes	morts
ils	furent	morts

Futur simple

je	mourrai
tu	mourras
il	mourra
ns	mourrons
vs	mourrez
ils	mourront

Futur antérieur

je	serai	mort
tu	seras	mort
il	sera	mort
ns	serons	morts
vs	serez	morts
ils	seront	morts

SUBJONCTIF

Présent

que	je	meure
que	tu	meures
qu	il	meure
que	ns	mourions
que	vs	mouriez
qu	ils	meurent

Imparfait

que	je	mourusse
que	tu	mourusses
qu	il	mourût
que	ns	mourussions
que	vs	mourussiez
qu	ils	mourussent

Passé

que	je	sois	mort
que	tu	sois	mort
qu	il	soit	mort
que	ns	soyons	morts
que	vs	soyez	morts
qu	ils	soient	morts

Plus-que-parfait

que	je	fusse	mort
que	tu	fusses	mort
qu	il	fût	mort
que	ns	fussions	morts
que	vs	fussiez	morts
qu	ils	fussent	morts

CONDITIONNEL

Présent

je	mourrais
tu	mourrais
il	mourrait
ns	mourrions
vs	mourriez
ils	mourraient

Passé 1re forme

je	serais	mort
tu	serais	mort
il	serait	mort
ns	serions	morts
vs	seriez	morts
ils	seraient	morts

Passé 2e forme

je	fusse	mort
tu	fusses	mort
il	fût	mort
ns	fussions	morts
vs	fussiez	morts
ils	fussent	morts

IMPÉRATIF

Présent

meurs	mourons	mourez

Passé

sois mort	soyons morts	soyez morts

INFINITIF

Présent	**Passé**
mourir	être mort

PARTICIPE

Présent	**Passé**	**Passé composé**
mourant	mort, te	étant mort

INDICATIF

Présent		Passé composé	
je	viens	je suis	venu
tu	viens	tu es	venu
il	vient	il est	venu
ns	venons	ns sommes	venus
vs	venez	vs êtes	venus
ils	viennent	ils sont	venus

Imparfait		Plus-que-parfait	
je	venais	j étais	venu
tu	venais	tu étais	venu
il	venait	il était	venu
ns	venions	ns étions	venus
vs	veniez	vs étiez	venus
ils	venaient	ils étaient	venus

Passé simple		Passé antérieur	
je	vins	je fus	venu
tu	vins	tu fus	venu
il	vint	il fut	venu
ns	vînmes	ns fûmes	venus
vs	vîntes	vs fûtes	venus
ils	vinrent	ils furent	venus

Futur simple		Futur antérieur	
je	viendrai	je serai	venu
tu	viendras	tu seras	venu
il	viendra	il sera	venu
ns	viendrons	ns serons	venus
vs	viendrez	vs serez	venus
ils	viendront	ils seront	venus

SUBJONCTIF

Présent	
que je	vienne
que tu	viennes
qu il	vienne
que ns	venions
que vs	veniez
qu ils	viennent

Imparfait	
que je	vinsse
que tu	vinsses
qu il	vînt
que ns	vinssions
que vs	vinssiez
qu ils	vinssent

Passé		
que je	sois	venu
que tu	sois	venu
qu il	soit	venu
que ns	soyons	venus
que vs	soyez	venus
qu ils	soient	venus

Plus-que-parfait		
que je	fusse	venu
que tu	fusses	venu
qu il	fût	venu
que ns	fussions	venus
que vs	fussiez	venus
qu ils	fussent	venus

CONDITIONNEL

Présent		Passé 1re forme		Passé 2e forme	
je	viendrais	je serais	venu	je fusse	venu
tu	viendrais	tu serais	venu	tu fusses	venu
il	viendrait	il serait	venu	il fût	venu
ns	viendrions	ns serions	venus	ns fussions	venus
vs	viendriez	vs seriez	venus	vs fussiez	venus
ils	viendraient	ils seraient	venus	ils fussent	venus

IMPÉRATIF

Présent			Passé		
viens	venons	venez	sois venu	soyons venus	soyez venus

INFINITIF

Présent	Passé
venir	être venu

PARTICIPE

Présent	Passé	Passé composé
venant	venu, e	étant venu

ACQUÉRIR

INDICATIF

Présent	Passé composé
j' acquiers	j' ai acquis
tu acquiers	tu as acquis
il acquiert	il a acquis
ns acquérons	ns avons acquis
vs acquérez	vs avez acquis
ils acquièrent	ils ont acquis

Imparfait	Plus-que-parfait
j' acquérais	j' avais acquis
tu acquérais	tu avais acquis
il acquérait	il avait acquis
ns acquérions	ns avions acquis
vs acquériez	vs aviez acquis
ils acquéraient	ils avaient acquis

Passé simple	Passé antérieur
j' acquis	j' eus acquis
tu acquis	tu eus acquis
il acquit	il eut acquis
ns acquîmes	ns eûmes acquis
vs acquîtes	vs eûtes acquis
ils acquirent	ils eurent acquis

Futur simple	Futur antérieur
j' acquerrai	j' aurai acquis
tu acquerras	tu auras acquis
il acquerra	il aura acquis
ns acquerrons	ns aurons acquis
vs acquerrez	vs aurez acquis
ils acquerront	ils auront acquis

SUBJONCTIF

Présent
que j' acquière
que tu acquières
qu' il acquière
que ns acquérions
que vs acquériez
qu' ils acquièrent

Imparfait
que j' acquisse
que tu acquisses
qu' il acquît
que ns acquissions
que vs acquissiez
qu' ils acquissent

Passé	
que j' aie acquis
que tu aies acquis
qu' il ait acquis
que ns ayons acquis
que vs ayez acquis
qu' ils aient acquis

Plus-que-parfait	
que j' eusse acquis
que tu eusses acquis
qu' il eût acquis
que ns eussions acquis
que vs eussiez acquis
qu' ils eussent acquis

CONDITIONNEL

Présent	Passé 1re forme	Passé 2e forme
j' acquerrais	j' aurais acquis	j' eusse acquis
tu acquerrais	tu aurais acquis	tu eusses acquis
il acquerrait	il aurait acquis	il eût acquis
ns acquerrions	ns aurions acquis	ns eussions acquis
vs acquerriez	vs auriez acquis	vs eussiez acquis
ils acquerraient	ils auraient acquis	ils eussent acquis

IMPÉRATIF

Présent	Passé
acquiers acquérons acquérez	aie acquis ayons acquis ayez acquis

INFINITIF

Présent	Passé
acquérir	avoir acquis

PARTICIPE

Présent	Passé	Passé composé
acquérant	acquis, se	ayant acquis

INDICATIF

Présent
j'	offre
tu	offres
il	offre
ns	offrons
vs	offrez
ils	offrent

Passé composé
j'	ai	offert
tu	as	offert
il	a	offert
ns	avons	offert
vs	avez	offert
ils	ont	offert

Imparfait
j'	offrais
tu	offrais
il	offrait
ns	offrions
vs	offriez
ils	offraient

Plus-que-parfait
j'	avais	offert
tu	avais	offert
il	avait	offert
ns	avions	offert
vs	aviez	offert
ils	avaient	offert

Passé simple
j'	offris
tu	offris
il	offrit
ns	offrîmes
vs	offrîtes
ils	offrirent

Passé antérieur
j'	eus	offert
tu	eus	offert
il	eut	offert
ns	eûmes	offert
vs	eûtes	offert
ils	eurent	offert

Futur simple
j'	offrirai
tu	offriras
il	offrira
ns	offrirons
vs	offrirez
ils	offriront

Futur antérieur
j'	aurai	offert
tu	auras	offert
il	aura	offert
ns	aurons	offert
vs	aurez	offert
ils	auront	offert

SUBJONCTIF

Présent
que	j'	offre
que	tu	offres
qu'	il	offre
que	ns	offrions
que	vs	offriez
qu'	ils	offrent

Imparfait
que	j'	offrisse
que	tu	offrisses
qu'	il	offrît
que	ns	offrissions
que	vs	offrissiez
qu'	ils	offrissent

Passé
que	j'	aie	offert
que	tu	aies	offert
qu'	il	ait	offert
que	ns	ayons	offert
que	vs	ayez	offert
qu'	ils	aient	offert

Plus-que-parfait
que	j'	eusse	offert
que	tu	eusses	offert
qu'	il	eût	offert
que	ns	eussions	offert
que	vs	eussiez	offert
qu'	ils	eussent	offert

CONDITIONNEL

Présent
j'	offrirais
tu	offrirais
il	offrirait
ns	offririons
vs	offririez
ils	offriraient

Passé 1re forme
j'	aurais	offert
tu	aurais	offert
il	aurait	offert
ns	aurions	offert
vs	auriez	offert
ils	auraient	offert

Passé 2e forme
j'	eusse	offert
tu	eusses	offert
il	eût	offert
ns	eussions	offert
vs	eussiez	offert
ils	eussent	offert

IMPÉRATIF

Présent
offre   offrons   offrez

Passé
aie offert   ayons offert   ayez offert

INFINITIF

Présent
offrir

Passé
avoir offert

PARTICIPE

Présent
offrant

Passé
offert, te

Passé composé
ayant offert

INDICATIF

Présent
je cueille
tu cueilles
il cueille
ns cueillons
vs cueillez
ils cueillent

Imparfait
je cueillais
tu cueillais
il cueillait
ns cueillions
vs cueilliez
ils cueillaient

Passé simple
je cueillis
tu cueillis
il cueillit
ns cueillîmes
vs cueillîtes
ils cueillirent

Futur simple
je cueillerai
tu cueilleras
il cueillera
ns cueillerons
vs cueillerez
ils cueilleront

Passé composé
j' ai cueilli
tu as cueilli
il a cueilli
ns avons cueilli
vs avez cueilli
ils ont cueilli

Plus-que-parfait
j' avais cueilli
tu avais cueilli
il avait cueilli
ns avions cueilli
vs aviez cueilli
ils avaient cueilli

Passé antérieur
j' eus cueilli
tu eus cueilli
il eut cueilli
ns eûmes cueilli
vs eûtes cueilli
ils eurent cueilli

Futur antérieur
j' aurai cueilli
tu auras cueilli
il aura cueilli
ns aurons cueilli
vs aurez cueilli
ils auront cueilli

SUBJONCTIF

Présent
que je cueille
que tu cueilles
qu' il cueille
que ns cueillions
que vs cueilliez
qu' ils cueillent

Imparfait
que je cueillisse
que tu cueillisses
qu' il cueillît
que ns cueillissions
que vs cueillissiez
qu' ils cueillissent

Passé
que j' aie cueilli
que tu aies cueilli
qu' il ait cueilli
que ns ayons cueilli
que vs ayez cueilli
qu' ils aient cueilli

Plus-que-parfait
que j' eusse cueilli
que tu eusses cueilli
qu' il eût cueilli
que ns eussions cueilli
que vs eussiez cueilli
qu' ils eussent cueilli

CONDITIONNEL

Présent
je cueillerais
tu cueillerais
il cueillerait
ns cueillerions
vs cueilleriez
ils cueilleraient

Passé 1re forme
j' aurais cueilli
tu aurais cueilli
il aurait cueilli
ns aurions cueilli
vs auriez cueilli
ils auraient cueilli

Passé 2e forme
j' eusse cueilli
tu eusses cueilli
il eût cueilli
ns eussions cueilli
vs eussiez cueilli
ils eussent cueilli

IMPÉRATIF

Présent
cueille   cueillons   cueillez

Passé
aie cueilli   ayons cueilli   ayez cueilli

INFINITIF

Présent
cueillir

Passé
avoir cueilli

PARTICIPE

Présent
cueillant

Passé
cueilli, e

Passé composé
ayant cueilli

INDICATIF

Présent

j'	assaille
tu	assailles
il	assaille
ns	assaillons
vs	assaillez
ils	assaillent

Passé composé

j'	ai	assailli
tu	as	assailli
il	a	assailli
ns	avons	assailli
vs	avez	assailli
ils	ont	assailli

Imparfait

j'	assaillais
tu	assaillais
il	assaillait
ns	assaillions
vs	assailliez
ils	assaillaient

Plus-que-parfait

j'	avais	assailli
tu	avais	assailli
il	avait	assailli
ns	avions	assailli
vs	aviez	assailli
ils	avaient	assailli

Passé simple

j'	assaillis
tu	assaillis
il	assaillit
ns	assaillîmes
vs	assaillîtes
ils	assaillirent

Passé antérieur

j'	eus	assailli
tu	eus	assailli
il	eut	assailli
ns	eûmes	assailli
vs	eûtes	assailli
ils	eurent	assailli

Futur simple

j'	assaillirai
tu	assailliras
il	assaillira
ns	assaillirons
vs	assaillirez
ils	assailliront

Futur antérieur

j'	aurai	assailli
tu	auras	assailli
il	aura	assailli
ns	aurons	assailli
vs	aurez	assailli
ils	auront	assailli

SUBJONCTIF

Présent

que	j'	assaille
que	tu	assailles
qu'	il	assaille
que	ns	assaillions
que	vs	assailliez
qu'	ils	assaillent

Imparfait

que	j'	assaillisse
que	tu	assaillisses
qu'	il	assaillît
que	ns	assaillissions
que	vs	assaillissiez
qu'	ils	assaillissent

Passé

que	j'	aie	assailli
que	tu	aies	assailli
qu'	il	ait	assailli
que	ns	ayons	assailli
que	vs	ayez	assailli
qu'	ils	aient	assailli

Plus-que-parfait

que	j'	eusse	assailli
que	tu	eusses	assailli
qu'	il	eût	assailli
que	ns	eussions	assailli
que	vs	eussiez	assailli
qu'	ils	eussent	assailli

CONDITIONNEL

Présent

j'	assaillirais
tu	assaillirais
il	assaillirait
ns	assaillirions
vs	assailliriez
ils	assailliraient

Passé 1ʳᵉ forme

j'	aurais	assailli
tu	aurais	assailli
il	aurait	assailli
ns	aurions	assailli
vs	auriez	assailli
ils	auraient	assailli

Passé 2ᵉ forme

j'	eusse	assailli
tu	eusses	assailli
il	eût	assailli
ns	eussions	assailli
vs	eussiez	assailli
ils	eussent	assailli

IMPÉRATIF

Présent

assaille   assaillons   assaillez

Passé

aie assailli   ayons assailli   ayez assailli

INFINITIF

Présent	Passé
assaillir	avoir assailli

PARTICIPE

Présent	Passé	Passé composé
assaillant	assailli, e	ayant assailli

INDICATIF

Présent	Passé composé
je faillis	j' ai failli
tu faillis	tu as failli
il faillit	il a failli
ns faillissons	ns avons failli
vs faillissez	vs avez failli
ils faillissent	ils ont failli

Imparfait	Plus-que-parfait
je faillissais	j' avais failli
tu faillissais	tu avais failli
il faillissait	il avait failli
ns faillissions	ns avions failli
vs faillissiez	vs aviez failli
ils faillissaient	ils avaient failli

Passé simple	Passé antérieur
je faillis	j' eus failli
tu faillis	tu eus failli
il faillit	il eut failli
ns faillîmes	ns eûmes failli
vs faillîtes	vs eûtes failli
ils faillirent	ils eurent failli

Futur simple	Futur antérieur
je faillirai	j' aurai failli
tu failliras	tu auras failli
il faillira	il aura failli
ns faillirons	ns aurons failli
vs faillirez	vs aurez failli
ils failliront	ils auront failli

SUBJONCTIF

Présent
que je faillisse
que tu faillisses
qu' il faillisse
que ns faillissions
que vs faillissiez
qu' ils faillissent

Imparfait
que je faillisse
que tu faillisses
qu' il faillît
que ns faillissions
que vs faillissiez
qu' ils faillissent

Passé	
que j' aie failli
que tu aies failli
qu' il ait failli
que ns ayons failli
que vs ayez failli
qu' ils aient failli

Plus-que-parfait	
que j' eusse failli
que tu eusses failli
qu' il eût failli
que ns eussions failli
que vs eussiez failli
qu' ils eussent failli

CONDITIONNEL

Présent	Passé 1re forme	Passé 2e forme
je faillirais	j' aurais failli	j' eusse failli
tu faillirais	tu aurais failli	tu eusses failli
il faillirait	il aurait failli	il eût failli
ns faillirions	ns aurions failli	ns eussions failli
vs failliriez	vs auriez failli	vs eussiez failli
ils failliraient	ils auraient failli	ils eussent failli

IMPÉRATIF

Présent			Passé		
faillis	faillissons	faillissez	aie failli	ayons failli	ayez failli

INFINITIF

Présent	Passé
faillir	avoir failli

PARTICIPE

Présent	Passé	Passé composé
faillissant	failli	ayant failli

INDICATIF | SUBJONCTIF

Présent		Passé composé			Présent	
je	fuis	j'	ai	fui	que je	fuie
tu	fuis	tu	as	fui	que tu	fuies
il	fuit	il	a	fui	qu' il	fuie
ns	fuyons	ns	avons	fui	que ns	fuyions
vs	fuyez	vs	avez	fui	que vs	fuyiez
ils	fuient	ils	ont	fui	qu' ils	fuient

Imparfait		Plus-que-parfait			Imparfait	
je	fuyais	j'	avais	fui	que je	fuisse
tu	fuyais	tu	avais	fui	que tu	fuisses
il	fuyait	il	avait	fui	qu' il	fuît
ns	fuyions	ns	avions	fui	que ns	fuissions
vs	fuyiez	vs	aviez	fui	que vs	fuissiez
ils	fuyaient	ils	avaient	fui	qu' ils	fuissent

Passé simple		Passé antérieur			Passé	
je	fuis	j'	eus	fui	que j'	aie fui
tu	fuis	tu	eus	fui	que tu	aies fui
il	fuit	il	eut	fui	qu' il	ait fui
ns	fuîmes	ns	eûmes	fui	que ns	ayons fui
vs	fuîtes	vs	eûtes	fui	que vs	ayez fui
ils	fuirent	ils	eurent	fui	qu' ils	aient fui

Futur simple		Futur antérieur			Plus-que-parfait	
je	fuirai	j'	aurai	fui	que j'	eusse fui
tu	fuiras	tu	auras	fui	que tu	eusses fui
il	fuira	il	aura	fui	qu' il	eût fui
ns	fuirons	ns	aurons	fui	que ns	eussions fui
vs	fuirez	vs	aurez	fui	que vs	eussiez fui
ils	fuiront	ils	auront	fui	qu' ils	eussent fui

CONDITIONNEL

Présent		Passé 1re forme			Passé 2e forme	
je	fuirais	j'	aurais	fui	j'	eusse fui
tu	fuirais	tu	aurais	fui	tu	eusses fui
il	fuirait	il	aurait	fui	il	eût fui
ns	fuirions	ns	aurions	fui	ns	eussions fui
vs	fuiriez	vs	auriez	fui	vs	eussiez fui
ils	fuiraient	ils	auraient	fui	ils	eussent fui

IMPÉRATIF

Présent			Passé		
fuis	fuyons	fuyez	aie fui	ayons fui	ayez fui

INFINITIF | PARTICIPE

Présent	Passé	Présent	Passé	Passé composé
fuir	avoir fui	fuyant	fui, e	ayant fui

GÉSIR

INDICATIF

Présent	Passé composé
je gis	*inusité*
tu gis	
il gît	
ns gisons	
vs gisez	
ils gisent	

Imparfait	Plus-que-parfait
je gisais	*inusité*
tu gisais	
il gisait	
ns gisions	
vs gisiez	
ils gisaient	

Passé simple	Passé antérieur
inusité	*inusité*

Futur simple	Futur antérieur
inusité	*inusité*

SUBJONCTIF

inusité

CONDITIONNEL

inusité

IMPÉRATIF

inusité

INFINITIF

Présent	Passé
gésir	*inusité*

PARTICIPE

Présent	Passé	Passé composé
gisant	*inusité*	*inusité*

INDICATIF

Présent		Passé composé		
j'	ois	j'	ai	ouï
tu	ois	tu	as	ouï
il	oit	il	a	ouï
ns	oyons	ns	avons	ouï
vs	oyez	vs	avez	ouï
ils	oient	ils	ont	ouï

Imparfait		Plus-que-parfait		
j'	oyais	j'	avais	ouï
tu	oyais	tu	avais	ouï
il	oyait	il	avait	ouï
ns	oyions	ns	avions	ouï
vs	oyiez	vs	aviez	ouï
ils	oyaient	ils	avaient	ouï

Passé simple		Passé antérieur		
j'	ouïs	j'	eus	ouï
tu	ouïs	tu	eus	ouï
il	ouït	il	eut	ouï
ns	ouïmes	ns	eûmes	ouï
vs	ouïtes	vs	eûtes	ouï
ils	ouïrent	ils	eurent	ouï

Futur simple		Futur antérieur		
j'	ouïrai	j'	aurai	ouï
tu	ouïras	tu	auras	ouï
il	ouïra	il	aura	ouï
ns	ouïrons	ns	aurons	ouï
vs	ouïrez	vs	aurez	ouï
ils	ouïront	ils	auront	ouï

SUBJONCTIF

Présent		
que	j'	oie
que	tu	oies
qu'	il	oie
que	ns	oyions
que	vs	oyiez
qu'	ils	oient

Imparfait		
que	j'	ouïsse
que	tu	ouïsses
qu'	il	ouït
que	ns	ouïssions
que	vs	ouïssiez
qu'	ils	ouïssent

Passé			
que	j'	aie	ouï
que	tu	aies	ouï
qu'	il	ait	ouï
que	ns	ayons	ouï
que	vs	ayez	ouï
qu'	ils	aient	ouï

Plus-que-parfait			
que	j'	eusse	ouï
que	tu	eusses	ouï
qu'	il	eût	ouï
que	ns	eussions	ouï
que	vs	eussiez	ouï
qu'	ils	eussent	ouï

CONDITIONNEL

Présent		Passé 1re forme			Passé 2e forme		
j'	ouïrais	j'	aurais	ouï	j'	eusse	ouï
tu	ouïrais	tu	aurais	ouï	tu	eusses	ouï
il	ouïrait	il	aurait	ouï	il	eût	ouï
ns	ouïrions	ns	aurions	ouï	ns	eussions	ouï
vs	ouïriez	vs	auriez	ouï	vs	eussiez	ouï
ils	ouïraient	ils	auraient	ouï	ils	eussent	ouï

IMPÉRATIF

Présent			Passé		
ois	oyons	oyez	aie ouï	ayons ouï	ayez ouï

INFINITIF

Présent	Passé
ouïr	avoir ouï

PARTICIPE

Présent	Passé	Passé composé
oyant	ouï, ouïe	ayant ouï

RECEVOIR

INDICATIF

Présent

je	reçois
tu	reçois
il	reçoit
ns	recevons
vs	recevez
ils	reçoivent

Passé composé

j'	ai	reçu
tu	as	reçu
il	a	reçu
ns	avons	reçu
vs	avez	reçu
ils	ont	reçu

Imparfait

je	recevais
tu	recevais
il	recevait
ns	recevions
vs	receviez
ils	recevaient

Plus-que-parfait

j'	avais	reçu
tu	avais	reçu
il	avait	reçu
ns	avions	reçu
vs	aviez	reçu
ils	avaient	reçu

Passé simple

je	reçus
tu	reçus
il	reçut
ns	reçûmes
vs	reçûtes
ils	reçurent

Passé antérieur

j'	eus	reçu
tu	eus	reçu
il	eut	reçu
ns	eûmes	reçu
vs	eûtes	reçu
ils	eurent	reçu

Futur simple

je	recevrai
tu	recevras
il	recevra
ns	recevrons
vs	recevrez
ils	recevront

Futur antérieur

j'	aurai	reçu
tu	auras	reçu
il	aura	reçu
ns	aurons	reçu
vs	aurez	reçu
ils	auront	reçu

SUBJONCTIF

Présent

que	je	reçoive
que	tu	reçoives
qu'	il	reçoive
que	ns	recevions
que	vs	receviez
qu'	ils	reçoivent

Imparfait

que	je	reçusse
que	tu	reçusses
qu'	il	reçût
que	ns	reçussions
que	vs	reçussiez
qu'	ils	reçussent

Passé

que	j'	aie	reçu
que	tu	aies	reçu
qu'	il	ait	reçu
que	ns	ayons	reçu
que	vs	ayez	reçu
qu'	ils	aient	reçu

Plus-que-parfait

que	j'	eusse	reçu
que	tu	eusses	reçu
qu'	il	eût	reçu
que	ns	eussions	reçu
que	vs	eussiez	reçu
qu'	ils	eussent	reçu

CONDITIONNEL

Présent

je	recevrais
tu	recevrais
il	recevrait
ns	recevrions
vs	recevriez
ils	recevraient

Passé 1re forme

j'	aurais	reçu
tu	aurais	reçu
il	aurait	reçu
ns	aurions	reçu
vs	auriez	reçu
ils	auraient	reçu

Passé 2e forme

j'	eusse	reçu
tu	eusses	reçu
il	eût	reçu
ns	eussions	reçu
vs	eussiez	reçu
ils	eussent	reçu

IMPÉRATIF

Présent

reçois   recevons   recevez

Passé

aie reçu   ayons reçu   ayez reçu

INFINITIF

Présent

recevoir

Passé

avoir reçu

PARTICIPE

Présent	Passé	Passé composé
recevant	reçu, e	ayant reçu

INDICATIF

Présent
je vois
tu vois
il voit
ns voyons
vs voyez
ils voient

Passé composé
j' ai vu
tu as vu
il a vu
ns avons vu
vs avez vu
ils ont vu

Imparfait
je voyais
tu voyais
il voyait
ns voyions
vs voyiez
ils voyaient

Plus-que-parfait
j' avais vu
tu avais vu
il avait vu
ns avions vu
vs aviez vu
ils avaient vu

Passé simple
je vis
tu vis
il vit
ns vîmes
vs vîtes
ils virent

Passé antérieur
j' eus vu
tu eus vu
il eut vu
ns eûmes vu
vs eûtes vu
ils eurent vu

Futur simple
je verrai
tu verras
il verra
ns verrons
vs verrez
ils verront

Futur antérieur
j' aurai vu
tu auras vu
il aura vu
ns aurons vu
vs aurez vu
ils auront vu

SUBJONCTIF

Présent
que je voie
que tu voies
qu' il voie
que ns voyions
que vs voyiez
qu' ils voient

Imparfait
que je visse
que tu visses
qu' il vît
que ns vissions
que vs vissiez
qu' ils vissent

Passé
que j' aie vu
que tu aies vu
qu' il ait vu
que ns ayons vu
que vs ayez vu
qu' ils aient vu

Plus-que-parfait
que j' eusse vu
que tu eusses vu
qu' il eût vu
que ns eussions vu
que vs eussiez vu
qu' ils eussent vu

CONDITIONNEL

Présent
je verrais
tu verrais
il verrait
ns verrions
vs verriez
ils verraient

Passé 1ʳᵉ forme
j' aurais vu
tu aurais vu
il aurait vu
ns aurions vu
vs auriez vu
ils auraient vu

Passé 2ᵉ forme
j' eusse vu
tu eusses vu
il eût vu
ns eussions vu
vs eussiez vu
ils eussent vu

IMPÉRATIF

Présent
vois   voyons   voyez

Passé
aie vu   ayons vu   ayez vu

INFINITIF

Présent
voir

Passé
avoir vu

PARTICIPE

Présent
voyant

Passé
vu, e

Passé composé
ayant vu

INDICATIF

Présent
je	prévois
tu	prévois
il	prévoit
ns	prévoyons
vs	prévoyez
ils	prévoient

Passé composé
j'	ai	prévu
tu	as	prévu
il	a	prévu
ns	avons	prévu
vs	avez	prévu
ils	ont	prévu

Imparfait
je	prévoyais
tu	prévoyais
il	prévoyait
ns	prévoyions
vs	prévoyiez
ils	prévoyaient

Plus-que-parfait
j'	avais	prévu
tu	avais	prévu
il	avait	prévu
ns	avions	prévu
vs	aviez	prévu
ils	avaient	prévu

Passé simple
je	prévis
tu	prévis
il	prévit
ns	prévîmes
vs	prévîtes
ils	prévirent

Passé antérieur
j'	eus	prévu
tu	eus	prévu
il	eut	prévu
ns	eûmes	prévu
vs	eûtes	prévu
ils	eurent	prévu

Futur simple
je	prévoirai
tu	prévoiras
il	prévoira
ns	prévoirons
vs	prévoirez
ils	prévoiront

Futur antérieur
j'	aurai	prévu
tu	auras	prévu
il	aura	prévu
ns	aurons	prévu
vs	aurez	prévu
ils	auront	prévu

SUBJONCTIF

Présent
que	je	prévoie
que	tu	prévoies
qu'	il	prévoie
que	ns	prévoyions
que	vs	prévoyiez
qu'	ils	prévoient

Imparfait
que	je	prévisse
que	tu	prévisses
qu'	il	prévît
que	ns	prévissions
que	vs	prévissiez
qu'	ils	prévissent

Passé
que	j'	aie	prévu
que	tu	aies	prévu
qu'	il	ait	prévu
que	ns	ayons	prévu
que	vs	ayez	prévu
qu'	ils	aient	prévu

Plus-que-parfait
que	j'	eusse	prévu
que	tu	eusses	prévu
qu'	il	eût	prévu
que	ns	eussions	prévu
que	vs	eussiez	prévu
qu'	ils	eussent	prévu

CONDITIONNEL

Présent
je	prévoirais
tu	prévoirais
il	prévoirait
ns	prévoirions
vs	prévoiriez
ils	prévoiraient

Passé 1re forme
j'	aurais	prévu
tu	aurais	prévu
il	aurait	prévu
ns	aurions	prévu
vs	auriez	prévu
ils	auraient	prévu

Passé 2e forme
j'	eusse	prévu
tu	eusses	prévu
il	eût	prévu
ns	eussions	prévu
vs	eussiez	prévu
ils	eussent	prévu

IMPÉRATIF

Présent
prévois   prévoyons   prévoyez

Passé
aie prévu   ayons prévu   ayez prévu

INFINITIF

Présent	**Passé**
prévoir	avoir prévu

PARTICIPE

Présent	**Passé**	**Passé composé**
prévoyant	prévu, e	ayant prévu

INDICATIF

Présent

je	pourvois
tu	pourvois
il	pourvoit
ns	pourvoyons
vs	pourvoyez
ils	pourvoient

Passé composé

j'	ai	pourvu
tu	as	pourvu
il	a	pourvu
ns	avons	pourvu
vs	avez	pourvu
ils	ont	pourvu

Imparfait

je	pourvoyais
tu	pourvoyais
il	pourvoyait
ns	pourvoyions
vs	pourvoyiez
ils	pourvoyaient

Plus-que-parfait

j'	avais	pourvu
tu	avais	pourvu
il	avait	pourvu
ns	avions	pourvu
vs	aviez	pourvu
ils	avaient	pourvu

Passé simple

je	pourvus
tu	pourvus
il	pourvut
ns	pourvûmes
vs	pourvûtes
ils	pourvurent

Passé antérieur

j'	eus	pourvu
tu	eus	pourvu
il	eut	pourvu
ns	eûmes	pourvu
vs	eûtes	pourvu
ils	eurent	pourvu

Futur simple

je	pourvoirai
tu	pourvoiras
il	pourvoira
ns	pourvoirons
vs	pourvoirez
ils	pourvoiront

Futur antérieur

j'	aurai	pourvu
tu	auras	pourvu
il	aura	pourvu
ns	aurons	pourvu
vs	aurez	pourvu
ils	auront	pourvu

SUBJONCTIF

Présent

que je	pourvoie
que tu	pourvoies
qu' il	pourvoie
que ns	pourvoyions
que vs	pourvoyiez
qu' ils	pourvoient

Imparfait

que je	pourvusse
que tu	pourvusses
qu' il	pourvût
que ns	pourvussions
que vs	pourvussiez
qu' ils	pourvussent

Passé

que j'	aie	pourvu
que tu	aies	pourvu
qu' il	ait	pourvu
que ns	ayons	pourvu
que vs	ayez	pourvu
qu' ils	aient	pourvu

Plus-que-parfait

que j'	eusse	pourvu
que tu	eusses	pourvu
qu' il	eût	pourvu
que ns	eussions	pourvu
que vs	eussiez	pourvu
qu' ils	eussent	pourvu

CONDITIONNEL

Présent

je	pourvoirais
tu	pourvoirais
il	pourvoirait
ns	pourvoirions
vs	pourvoiriez
ils	pourvoiraient

Passé 1re forme

j'	aurais	pourvu
tu	aurais	pourvu
il	aurait	pourvu
ns	aurions	pourvu
vs	auriez	pourvu
ils	auraient	pourvu

Passé 2e forme

j'	eusse	pourvu
tu	eusses	pourvu
il	eût	pourvu
ns	eussions	pourvu
vs	eussiez	pourvu
ils	eussent	pourvu

IMPÉRATIF

Présent

pourvois   pourvoyons   pourvoyez

Passé

aie pourvu   ayons pourvu   ayez pourvu

INFINITIF

| **Présent** | **Passé** |
| pourvoir | avoir pourvu |

PARTICIPE

| **Présent** | **Passé** | **Passé composé** |
| pourvoyant | pourvu, e | ayant pourvu |

INDICATIF

Présent	ou		Passé composé	
j' assieds	assois		j' ai	assis
tu assieds	assois		tu as	assis
il assied	assoit		il a	assis
ns asseyons	assoyons		ns avons	assis
vs asseyez	assoyez		vs avez	assis
ils asseyent	assoient		ils ont	assis

Imparfait	ou		Plus-que-parfait	
j' asseyais	assoyais		j' avais	assis
tu asseyais	assoyais		tu avais	assis
il asseyait	assoyait		il avait	assis
ns asseyions	assoyions		ns avions	assis
vs asseyiez	assoyiez		vs aviez	assis
ils asseyaient	assoyaient		ils avaient	assis

Passé simple			Passé antérieur	
j' assis			j' eus	assis
tu assis			tu eus	assis
il assit			il eut	assis
ns assîmes			ns eûmes	assis
vs assîtes			vs eûtes	assis
ils assirent			ils eurent	assis

Futur simple	ou		Futur antérieur	
j' assiérai	assoirai		j' aurai	assis
tu assiéras	assoiras		tu auras	assis
il assiéra	assoira		il aura	assis
ns assiérons	assoirons		ns aurons	assis
vs assiérez	assoirez		vs aurez	assis
ils assiéront	assoiront		ils auront	assis

SUBJONCTIF

Présent	ou		Passé	
que j' asseye	assoie			
que tu asseyes	assoies			
qu' il asseye	assoie			
que ns asseyions	assoyions			
que vs asseyiez	assoyiez			
qu' ils asseyent	assoient			

Imparfait				
que j' assisse				
que tu assisses				
qu' il assît				
que ns assissions				
que vs assissiez				
qu' ils assissent				

Passé				
que j' aie	assis			
que tu aies	assis			
qu' il ait	assis			
que ns ayons	assis			
que vs ayez	assis			
qu' ils aient	assis			

Plus-que-parfait				
que j' eusse	assis			
que tu eusses	assis			
qu' il eût	assis			
que ns eussions	assis			
que vs eussiez	assis			
qu' ils eussent	assis			

CONDITIONNEL

Présent	ou		Passé 1ʳᵉ forme		Passé 2ᵉ forme	
j' assiérais	assoirais		j' aurais	assis	j' eusse	assis
tu assiérais	assoirais		tu aurais	assis	tu eusses	assis
il assiérait	assoirait		il aurait	assis	il eût	assis
ns assiérions	assoirions		ns aurions	assis	ns eussions	assis
vs assiériez	assoiriez		vs auriez	assis	vs eussiez	assis
ils assiéraient	assoiraient		ils auraient	assis	ils eussent	assis

IMPÉRATIF

Présent			Passé		
assieds	asseyons	asseyez	aie assis	ayons assis	ayez assis
ou assois	ou assoyons	ou assoyez			

INFINITIF

Présent	Passé
asseoir	avoir assis

PARTICIPE

Présent	Passé	Passé composé
asseyant	assis, se	ayant assis
ou assoyant		

INDICATIF

Présent
je sursois
tu sursois
il sursoit
ns sursoyons
vs sursoyez
ils sursoient

Imparfait
je sursoyais
tu sursoyais
il sursoyait
ns sursoyions
vs sursoyiez
ils sursoyaient

Passé simple
je sursis
tu sursis
il sursit
ns sursîmes
vs sursîtes
ils sursirent

Futur simple
je surseoirai
tu surseoiras
il surseoira
ns surseoirons
vs surseoirez
ils surseoiront

Passé composé
j' ai sursis
tu as sursis
il a sursis
ns avons sursis
vs avez sursis
ils ont sursis

Plus-que-parfait
j' avais sursis
tu avais sursis
il avait sursis
ns avions sursis
vs aviez sursis
ils avaient sursis

Passé antérieur
j' eus sursis
tu eus sursis
il eut sursis
ns eûmes sursis
vs eûtes sursis
ils eurent sursis

Futur antérieur
j' aurai sursis
tu auras sursis
il aura sursis
ns aurons sursis
vs aurez sursis
ils auront sursis

SUBJONCTIF

Présent
que je sursoie
que tu sursoies
qu' il sursoie
que ns sursoyions
que vs sursoyiez
qu' ils sursoient

Imparfait
que je sursisse
que tu sursisses
qu' il sursît
que ns sursissions
que vs sursissiez
qu' ils sursissent

Passé
que j' aie sursis
que tu aies sursis
qu' il ait sursis
que ns ayons sursis
que vs ayez sursis
qu' ils aient sursis

Plus-que-parfait
que j' eusse sursis
que tu eusses sursis
qu' il eût sursis
que ns eussions sursis
que vs eussiez sursis
qu' ils eussent sursis

CONDITIONNEL

Présent
je surseoirais
tu surseoirais
il surseoirait
ns surseoirions
vs surseoiriez
ils surseoiraient

Passé 1re forme
j' aurais sursis
tu aurais sursis
il aurait sursis
ns aurions sursis
vs auriez sursis
ils auraient sursis

Passé 2e forme
j' eusse sursis
tu eusses sursis
il eût sursis
ns eussions sursis
vs eussiez sursis
ils eussent sursis

IMPÉRATIF

Présent
sursois   sursoyons   sursoyez

Passé
aie sursis   ayons sursis   ayez sursis

INFINITIF

Présent
surseoir

Passé
avoir sursis

PARTICIPE

Présent
sursoyant

Passé
sursis, se

Passé composé
ayant sursis

INDICATIF

Présent	Passé composé	
je sais	j' ai	su
tu sais	tu as	su
il sait	il a	su
ns savons	ns avons	su
vs savez	vs avez	su
ils savent	ils ont	su

Imparfait	Plus-que-parfait	
je savais	j' avais	su
tu savais	tu avais	su
il savait	il avait	su
ns savions	ns avions	su
vs saviez	vs aviez	su
ils savaient	ils avaient	su

Passé simple	Passé antérieur	
je sus	j' eus	su
tu sus	tu eus	su
il sut	il eut	su
ns sûmes	ns eûmes	su
vs sûtes	vs eûtes	su
ils surent	ils eurent	su

Futur simple	Futur antérieur	
je saurai	j' aurai	su
tu sauras	tu auras	su
il saura	il aura	su
ns saurons	ns aurons	su
vs saurez	vs aurez	su
ils sauront	ils auront	su

SUBJONCTIF

Présent	
que je sache	
que tu saches	
qu' il sache	
que ns sachions	
que vs sachiez	
qu' ils sachent	

Imparfait	
que je susse	
que tu susses	
qu' il sût	
que ns sussions	
que vs sussiez	
qu' ils sussent	

Passé		
que j' aie	su	
que tu aies	su	
qu' il ait	su	
que ns ayons	su	
que vs ayez	su	
qu' ils aient	su	

Plus-que-parfait		
que j' eusse	su	
que tu eusses	su	
qu' il eût	su	
que ns eussions	su	
que vs eussiez	su	
qu' ils eussent	su	

CONDITIONNEL

Présent	Passé 1re forme		Passé 2e forme	
je saurais	j' aurais	su	j' eusse	su
tu saurais	tu aurais	su	tu eusses	su
il saurait	il aurait	su	il eût	su
ns saurions	ns aurions	su	ns eussions	su
vs sauriez	vs auriez	su	vs eussiez	su
ils sauraient	ils auraient	su	ils eussent	su

IMPÉRATIF

Présent			Passé		
sache	sachons	sachez	aie su	ayons su	ayez su

INFINITIF

Présent	Passé
savoir	avoir su

PARTICIPE

Présent	Passé	Passé composé
sachant	su, e	ayant su

INDICATIF

Présent		Passé composé	
je	dois	j'	ai dû
tu	dois	tu	as dû
il	doit	il	a dû
ns	devons	ns	avons dû
vs	devez	vs	avez dû
ils	doivent	ils	ont dû

Imparfait		Plus-que-parfait	
je	devais	j'	avais dû
tu	devais	tu	avais dû
il	devait	il	avait dû
ns	devions	ns	avions dû
vs	deviez	vs	aviez dû
ils	devaient	ils	avaient dû

Passé simple		Passé antérieur	
je	dus	j'	eus dû
tu	dus	tu	eus dû
il	dut	il	eut dû
ns	dûmes	ns	eûmes dû
vs	dûtes	vs	eûtes dû
ils	durent	ils	eurent dû

Futur simple		Futur antérieur	
je	devrai	j'	aurai dû
tu	devras	tu	auras dû
il	devra	il	aura dû
ns	devrons	ns	aurons dû
vs	devrez	vs	aurez dû
ils	devront	ils	auront dû

SUBJONCTIF

Présent		
que	je	doive
que	tu	doives
qu'	il	doive
que	ns	devions
que	vs	deviez
qu'	ils	doivent

Imparfait		
que	je	dusse
que	tu	dusses
qu'	il	dût
que	ns	dussions
que	vs	dussiez
qu'	ils	dussent

Passé		
que	j'	aie dû
que	tu	aies dû
qu'	il	ait dû
que	ns	ayons dû
que	vs	ayez dû
qu'	ils	aient dû

Plus-que-parfait		
que	j'	eusse dû
que	tu	eusses dû
qu'	il	eût dû
que	ns	eussions dû
que	vs	eussiez dû
qu'	ils	eussent dû

CONDITIONNEL

Présent		Passé 1re forme		Passé 2e forme	
je	devrais	j'	aurais dû	j'	eusse dû
tu	devrais	tu	aurais dû	tu	eusses dû
il	devrait	il	aurait dû	il	eût dû
ns	devrions	ns	aurions dû	ns	eussions dû
vs	devriez	vs	auriez dû	vs	eussiez dû
ils	devraient	ils	auraient dû	ils	eussent dû

IMPÉRATIF

inusité

INFINITIF

Présent	Passé
devoir	avoir dû

PARTICIPE

Présent	Passé	Passé composé
devant	dû, due	ayant dû

INDICATIF

Présent	*ou*	Passé composé
je peux	je puis	j' ai pu
tu peux		tu as pu
il peut		il a pu
ns pouvons		ns avons pu
vs pouvez		vs avez pu
ils peuvent		ils ont pu

Imparfait

	Plus-que-parfait
je pouvais	j' avais pu
tu pouvais	tu avais pu
il pouvait	il avait pu
ns pouvions	ns avions pu
vs pouviez	vs aviez pu
ils pouvaient	ils avaient pu

Passé simple

	Passé antérieur
je pus	j' eus pu
tu pus	tu eus pu
il put	il eut pu
ns pûmes	ns eûmes pu
vs pûtes	vs eûtes pu
ils purent	ils eurent pu

Futur simple

	Futur antérieur
je pourrai	j' aurai pu
tu pourras	tu auras pu
il pourra	il aura pu
ns pourrons	ns aurons pu
vs pourrez	vs aurez pu
ils pourront	ils auront pu

SUBJONCTIF

Présent

que je puisse
que tu puisses
qu' il puisse
que ns puissions
que vs puissiez
qu' ils puissent

Imparfait

que je pusse
que tu pusses
qu' il pût
que ns pussions
que vs pussiez
qu' ils pussent

Passé

que j' aie pu
que tu aies pu
qu' il ait pu
que ns ayons pu
que vs ayez pu
qu' ils aient pu

Plus-que-parfait

que j' eusse pu
que tu eusses pu
qu' il eût pu
que ns eussions pu
que vs eussiez pu
qu' ils eussent pu

CONDITIONNEL

Présent	Passé 1re forme	Passé 2e forme
je pourrais	j' aurais pu	j' eusse pu
tu pourrais	tu aurais pu	tu eusses pu
il pourrait	il aurait pu	il eût pu
ns pourrions	ns aurions pu	ns eussions pu
vs pourriez	vs auriez pu	vs eussiez pu
ils pourraient	ils auraient pu	ils eussent pu

IMPÉRATIF

inusité

INFINITIF

Présent	Passé
pouvoir	avoir pu

PARTICIPE

Présent	Passé	Passé composé
pouvant	pu	ayant pu

VOULOIR

INDICATIF

Présent
je veux
tu veux
il veut
ns voulons
vs voulez
ils veulent

Passé composé
j' ai voulu
tu as voulu
il a voulu
ns avons voulu
vs avez voulu
ils ont voulu

Imparfait
je voulais
tu voulais
il voulait
ns voulions
vs vouliez
ils voulaient

Plus-que-parfait
j' avais voulu
tu avais voulu
il avait voulu
ns avions voulu
vs aviez voulu
ils avaient voulu

Passé simple
je voulus
tu voulus
il voulut
ns voulûmes
vs voulûtes
ils voulurent

Passé antérieur
j' eus voulu
tu eus voulu
il eut voulu
ns eûmes voulu
vs eûtes voulu
ils eurent voulu

Futur simple
je voudrai
tu voudras
il voudra
ns voudrons
vs voudrez
ils voudront

Futur antérieur
j' aurai voulu
tu auras voulu
il aura voulu
ns aurons voulu
vs aurez voulu
ils auront voulu

SUBJONCTIF

Présent
que je veuille
que tu veuilles
qu' il veuille
que ns voulions
que vs vouliez
qu' ils veuillent

Imparfait
que je voulusse
que tu voulusses
qu' il voulût
que ns voulussions
que vs voulussiez
qu' ils voulussent

Passé
que j' aie voulu
que tu aies voulu
qu' il ait voulu
que ns ayons voulu
que vs ayez voulu
qu' ils aient voulu

Plus-que-parfait
que j' eusse voulu
que tu eusses voulu
qu' il eût voulu
que ns eussions voulu
que vs eussiez voulu
qu' ils eussent voulu

CONDITIONNEL

Présent
je voudrais
tu voudrais
il voudrait
ns voudrions
vs voudriez
ils voudraient

Passé 1re forme
j' aurais voulu
tu aurais voulu
il aurait voulu
ns aurions voulu
vs auriez voulu
ils auraient voulu

Passé 2e forme
j' eusse voulu
tu eusses voulu
il eût voulu
ns eussions voulu
vs eussiez voulu
ils eussent voulu

IMPÉRATIF

Présent
veux   voulons   voulez
ou veuille   *ou* veuillez

Passé
aie voulu   ayons voulu   ayez voulu

INFINITIF

Présent
vouloir

Passé
avoir voulu

PARTICIPE

Présent
voulant

Passé
voulu, e

Passé composé
ayant voulu

INDICATIF

Présent		Passé composé		
je	vaux	j'	ai	valu
tu	vaux	tu	as	valu
il	vaut	il	a	valu
ns	valons	ns	avons	valu
vs	valez	vs	avez	valu
ils	valent	ils	ont	valu

Imparfait		Plus-que-parfait		
je	valais	j'	avais	valu
tu	valais	tu	avais	valu
il	valait	il	avait	valu
ns	valions	ns	avions	valu
vs	valiez	vs	aviez	valu
ils	valaient	ils	avaient	valu

Passé simple		Passé antérieur		
je	valus	j'	eus	valu
tu	valus	tu	eus	valu
il	valut	il	eut	valu
ns	valûmes	ns	eûmes	valu
vs	valûtes	vs	eûtes	valu
ils	valurent	ils	eurent	valu

Futur simple		Futur antérieur		
je	vaudrai	j'	aurai	valu
tu	vaudras	tu	auras	valu
il	vaudra	il	aura	valu
ns	vaudrons	ns	aurons	valu
vs	vaudrez	vs	aurez	valu
ils	vaudront	ils	auront	valu

SUBJONCTIF

Présent		
que	je	vaille
que	tu	vailles
qu'	il	vaille
que	ns	valions
que	vs	valiez
qu'	ils	vaillent

Imparfait		
que	je	valusse
que	tu	valusses
qu'	il	valût
que	ns	valussions
que	vs	valussiez
qu'	ils	valussent

Passé			
que	j'	aie	valu
que	tu	aies	valu
qu'	il	ait	valu
que	ns	ayons	valu
que	vs	ayez	valu
qu'	ils	aient	valu

Plus-que-parfait			
que	j'	eusse	valu
que	tu	eusses	valu
qu'	il	eût	valu
que	ns	eussions	valu
que	vs	eussiez	valu
qu'	ils	eussent	valu

CONDITIONNEL

Présent		Passé 1re forme			Passé 2e forme		
je	vaudrais	j'	aurais	valu	j'	eusse	valu
tu	vaudrais	tu	aurais	valu	tu	eusses	valu
il	vaudrait	il	aurait	valu	il	eût	valu
ns	vaudrions	ns	aurions	valu	ns	eussions	valu
vs	vaudriez	vs	auriez	valu	vs	eussiez	valu
ils	vaudraient	ils	auraient	valu	ils	eussent	valu

IMPÉRATIF

Présent			Passé		
vaux	valons	valez	aie valu	ayons valu	ayez valu

INFINITIF

Présent	Passé
valoir	avoir valu

PARTICIPE

Présent	Passé	Passé composé
valant	valu, e	ayant valu

INDICATIF

Présent		Passé composé	
je	prévaux	j'	ai	prévalu
tu	prévaux	tu	as	prévalu
il	prévaut	il	a	prévalu
ns	prévalons	ns	avons	prévalu
vs	prévalez	vs	avez	prévalu
ils	prévalent	ils	ont	prévalu

Imparfait		Plus-que-parfait	
je	prévalais	j'	avais	prévalu
tu	prévalais	tu	avais	prévalu
il	prévalait	il	avait	prévalu
ns	prévalions	ns	avions	prévalu
vs	prévaliez	vs	aviez	prévalu
ils	prévalaient	ils	avaient	prévalu

Passé simple		Passé antérieur	
je	prévalus	j'	eus	prévalu
tu	prévalus	tu	eus	prévalu
il	prévalut	il	eut	prévalu
ns	prévalûmes	ns	eûmes	prévalu
vs	prévalûtes	vs	eûtes	prévalu
ils	prévalurent	ils	eurent	prévalu

Futur simple		Futur antérieur	
je	prévaudrai	j'	aurai	prévalu
tu	prévaudras	tu	auras	prévalu
il	prévaudra	il	aura	prévalu
ns	prévaudrons	ns	aurons	prévalu
vs	prévaudrez	vs	aurez	prévalu
ils	prévaudront	ils	auront	prévalu

SUBJONCTIF

Présent	
que je	prévale
que tu	prévales
qu' il	prévale
que ns	prévalions
que vs	prévaliez
qu' ils	prévalent

Imparfait	
que je	prévalusse
que tu	prévalusses
qu' il	prévalût
que ns	prévalussions
que vs	prévalussiez
qu' ils	prévalussent

Passé		
que j'	aie	prévalu
que tu	aies	prévalu
qu' il	ait	prévalu
que ns	ayons	prévalu
que vs	ayez	prévalu
qu' ils	aient	prévalu

Plus-que-parfait		
que j'	eusse	prévalu
que tu	eusses	prévalu
qu' il	eût	prévalu
que ns	eussions	prévalu
que vs	eussiez	prévalu
qu' ils	eussent	prévalu

CONDITIONNEL

Présent		Passé 1ʳᵉ forme		Passé 2ᵉ forme		
je	prévaudrais	j'	aurais	prévalu	j'	eusse	prévalu
tu	prévaudrais	tu	aurais	prévalu	tu	eusses	prévalu
il	prévaudrait	il	aurait	prévalu	il	eût	prévalu
ns	prévaudrions	ns	aurions	prévalu	ns	eussions	prévalu
vs	prévaudriez	vs	auriez	prévalu	vs	eussiez	prévalu
ils	prévaudraient	ils	auraient	prévalu	ils	eussent	prévalu

IMPÉRATIF

Présent			Passé		
prévaux	prévalons	prévalez	aie prévalu	ayons prévalu	ayez prévalu

INFINITIF

Présent	Passé
prévaloir	avoir prévalu

PARTICIPE

Présent	Passé	Passé composé
prévalant	prévalu, e	ayant prévalu

INDICATIF

Présent	Passé composé	
je meus	j' ai	mû
tu meus	tu as	mû
il meut	il a	mû
ns mouvons	ns avons	mû
vs mouvez	vs avez	mû
ils meuvent	ils ont	mû

Imparfait	Plus-que-parfait	
je mouvais	j' avais	mû
tu mouvais	tu avais	mû
il mouvait	il avait	mû
ns mouvions	ns avions	mû
vs mouviez	vs aviez	mû
ils mouvaient	ils avaient	mû

Passé simple	Passé antérieur	
je mus	j' eus	mû
tu mus	tu eus	mû
il mut	il eut	mû
ns mûmes	ns eûmes	mû
vs mûtes	vs eûtes	mû
ils murent	ils eurent	mû

Futur simple	Futur antérieur	
je mouvrai	j' aurai	mû
tu mouvras	tu auras	mû
il mouvra	il aura	mû
ns mouvrons	ns aurons	mû
vs mouvrez	vs aurez	mû
ils mouvront	ils auront	mû

SUBJONCTIF

Présent
que je meuve
que tu meuves
qu' il meuve
que ns mouvions
que vs mouviez
qu' ils meuvent

Imparfait
que je musse
que tu musses
qu' il mût
que ns mussions
que vs mussiez
qu' ils mussent

Passé	
que j' aie	mû
que tu aies	mû
qu' il ait	mû
que ns ayons	mû
que vs ayez	mû
qu' ils aient	mû

Plus-que-parfait	
que j' eusse	mû
que tu eusses	mû
qu' il eût	mû
que ns eussions	mû
que vs eussiez	mû
qu' ils eussent	mû

CONDITIONNEL

Présent	Passé 1ʳᵉ forme		Passé 2ᵉ forme	
je mouvrais	j' aurais	mû	j' eusse	mû
tu mouvrais	tu aurais	mû	tu eusses	mû
il mouvrait	il aurait	mû	il eût	mû
ns mouvrions	ns aurions	mû	ns eussions	mû
vs mouvriez	vs auriez	mû	vs eussiez	mû
ils mouvraient	ils auraient	mû	ils eussent	mû

IMPÉRATIF

Présent			Passé		
meus	mouvons	mouvez	aie mû	ayons mû	ayez mû

INFINITIF

Présent	Passé
mouvoir	avoir mû

PARTICIPE

Présent	Passé	Passé composé
mouvant	mû, mue	ayant mû

INDICATIF

Présent	Passé composé
il faut	il a fallu
Imparfait	**Plus-que-parfait**
il fallait	il avait fallu
Passé simple	**Passé antérieur**
il fallut	il eut fallu
Futur simple	**Futur antérieur**
il faudra	il aura fallu

SUBJONCTIF

Présent
qu'il faille

Imparfait
qu'il fallût

Passé
qu'il ait fallu

Plus-que-parfait
qu'il eût fallu

CONDITIONNEL

Présent	Passé 1ʳᵉ forme	Passé 2ᵉ forme
il faudrait	il aurait fallu	il eût fallu

IMPÉRATIF

inusité

INFINITIF

Présent	Passé
falloir	avoir fallu

PARTICIPE

Présent	Passé	Passé composé
inusité	fallu	ayant fallu

INDICATIF

Présent
il pleut
ils pleuvent

Imparfait
il pleuvait
ils pleuvaient

Passé simple
il plut
ils plurent

Futur simple
il pleuvra
ils pleuvront

Passé composé
il a plu
ils ont plu

Plus-que-parfait
il avait plu
ils avaient plu

Passé antérieur
il eut plu
ils eurent plu

Futur antérieur
il aura plu
ils auront plu

SUBJONCTIF

Présent
qu' il pleuve
qu' ils pleuvent

Imparfait
qu' il plût
qu' ils plussent

Passé
qu' il ait plu
qu' ils aient plu

Plus-que-parfait
qu' il eût plu
qu' ils eussent plu

CONDITIONNEL

Présent
il pleuvrait
ils pleuvraient

Passé 1ʳᵉ forme
il aurait plu
ils auraient plu

Passé 2ᵉ forme
il eût plu
ils eussent plu

IMPÉRATIF

inusité

INFINITIF

Présent
pleuvoir

Passé
avoir plu

PARTICIPE

Présent
pleuvant

Passé
plu

Passé composé
ayant plu

INDICATIF | SUBJONCTIF

Présent	ou	Passé composé			Présent		
je déchois		j'	ai	déchu	que je déchoie		
tu déchois		tu	as	déchu	que tu déchoies		
il déchoit	déchet	il	a	déchu	qu' il déchoie		
ns déchoyons		ns	avons	déchu	que ns déchoyions		
vs déchoyez		vs	avez	déchu	que vs déchoyiez		
ils déchoient		ils	ont	déchu	qu' ils déchoient		

Imparfait	Plus-que-parfait			Imparfait		
inusité	j'	avais	déchu	que je déchusse		
	tu	avais	déchu	que tu déchusses		
	il	avait	déchu	qu' il déchût		
	ns	avions	déchu	que ns déchussions		
	vs	aviez	déchu	que vs déchussiez		
	ils	avaient	déchu	qu' ils déchussent		

Passé simple	Passé antérieur			Passé		
je déchus	j'	eus	déchu	que j' aie	déchu	
tu déchus	tu	eus	déchu	que tu aies	déchu	
il déchut	il	eut	déchu	qu' il ait	déchu	
ns déchûmes	ns	eûmes	déchu	que ns ayons	déchu	
vs déchûtes	vs	eûtes	déchu	que vs ayez	déchu	
ils déchurent	ils	eurent	déchu	qu' ils aient	déchu	

Futur simple	ou	Futur antérieur			Plus-que-parfait		
je déchoirai	décherrai	j'	aurai	déchu	que j' eusse	déchu	
tu déchoiras	décherras	tu	auras	déchu	que tu eusses	déchu	
il déchoira	décherra	il	aura	déchu	qu' il eût	déchu	
ns déchoirons	décherrons	ns	aurons	déchu	que ns eussions	déchu	
vs déchoirez	décherrez	vs	aurez	déchu	que vs eussiez	déchu	
ils déchoiront	décherront	ils	auront	déchu	qu' ils eussent	déchu	

CONDITIONNEL

Présent	ou	Passé 1re forme			Passé 2e forme		
je déchoirais	décherrais	j'	aurais	déchu	j' eusse	déchu	
tu déchoirais	décherrais	tu	aurais	déchu	tu eusses	déchu	
il déchoirait	décherrait	il	aurait	déchu	il eût	déchu	
ns déchoirions	décherrions	ns	aurions	déchu	ns eussions déchu		
vs déchoiriez	décherriez	vs	auriez	déchu	vs eussiez déchu		
ils déchoiraient	décherraient	ils	auraient	déchu	ils eussent déchu		

IMPÉRATIF

inusité

INFINITIF | PARTICIPE

Présent	Passé	Présent	Passé	Passé composé
déchoir	avoir déchu	déchéant *(rare)*	déchu, e	ayant déchu

RENDRE

INDICATIF

Présent
je rends
tu rends
il rend
ns rendons
vs rendez
ils rendent

Passé composé
j' ai rendu
tu as rendu
il a rendu
ns avons rendu
vs avez rendu
ils ont rendu

Imparfait
je rendais
tu rendais
il rendait
ns rendions
vs rendiez
ils rendaient

Plus-que-parfait
j' avais rendu
tu avais rendu
il avait rendu
ns avions rendu
vs aviez rendu
ils avaient rendu

Passé simple
je rendis
tu rendis
il rendit
ns rendîmes
vs rendîtes
ils rendirent

Passé antérieur
j' eus rendu
tu eus rendu
il eut rendu
ns eûmes rendu
vs eûtes rendu
ils eurent rendu

Futur simple
je rendrai
tu rendras
il rendra
ns rendrons
vs rendrez
ils rendront

Futur antérieur
j' aurai rendu
tu auras rendu
il aura rendu
ns aurons rendu
vs aurez rendu
ils auront rendu

SUBJONCTIF

Présent
que je rende
que tu rendes
qu' il rende
que ns rendions
que vs rendiez
qu' ils rendent

Imparfait
que je rendisse
que tu rendisses
qu' il rendît
que ns rendissions
que vs rendissiez
qu' ils rendissent

Passé
que j' aie rendu
que tu aies rendu
qu' il ait rendu
que ns ayons rendu
que vs ayez rendu
qu' ils aient rendu

Plus-que-parfait
que j' eusse rendu
que tu eusses rendu
qu' il eût rendu
que ns eussions rendu
que vs eussiez rendu
qu' ils eussent rendu

CONDITIONNEL

Présent
je rendrais
tu rendrais
il rendrait
ns rendrions
vs rendriez
ils rendraient

Passé 1re forme
j' aurais rendu
tu aurais rendu
il aurait rendu
ns aurions rendu
vs auriez rendu
ils auraient rendu

Passé 2e forme
j' eusse rendu
tu eusses rendu
il eût rendu
ns eussions rendu
vs eussiez rendu
ils eussent rendu

IMPÉRATIF

Présent
rends   rendons   rendez

Passé
aie rendu   ayons rendu   ayez rendu

INFINITIF

Présent
rendre

Passé
avoir rendu

PARTICIPE

Présent
rendant

Passé
rendu, e

Passé composé
ayant rendu

INDICATIF

Présent		Passé composé		
je	prends	j'	ai	pris
tu	prends	tu	as	pris
il	prend	il	a	pris
ns	prenons	ns	avons	pris
vs	prenez	vs	avez	pris
ils	prennent	ils	ont	pris

Imparfait		Plus-que-parfait		
je	prenais	j'	avais	pris
tu	prenais	tu	avais	pris
il	prenait	il	avait	pris
ns	prenions	ns	avions	pris
vs	preniez	vs	aviez	pris
ils	prenaient	ils	avaient	pris

Passé simple		Passé antérieur		
je	pris	j'	eus	pris
tu	pris	tu	eus	pris
il	prit	il	eut	pris
ns	prîmes	ns	eûmes	pris
vs	prîtes	vs	eûtes	pris
ils	prirent	ils	eurent	pris

Futur simple		Futur antérieur		
je	prendrai	j'	aurai	pris
tu	prendras	tu	auras	pris
il	prendra	il	aura	pris
ns	prendrons	ns	aurons	pris
vs	prendrez	vs	aurez	pris
ils	prendront	ils	auront	pris

SUBJONCTIF

Présent		
que je	prenne	
que tu	prennes	
qu' il	prenne	
que ns	prenions	
que vs	preniez	
qu' ils	prennent	

Imparfait		
que je	prisse	
que tu	prisses	
qu' il	prît	
que ns	prissions	
que vs	prissiez	
qu' ils	prissent	

Passé		
que j'	aie	pris
que tu	aies	pris
qu' il	ait	pris
que ns	ayons	pris
que vs	ayez	pris
qu' ils	aient	pris

Plus-que-parfait		
que j'	eusse	pris
que tu	eusses	pris
qu' il	eût	pris
que ns	eussions	pris
que vs	eussiez	pris
qu' ils	eussent	pris

CONDITIONNEL

Présent		Passé 1re forme			Passé 2e forme		
je	prendrais	j'	aurais	pris	j'	eusse	pris
tu	prendrais	tu	aurais	pris	tu	eusses	pris
il	prendrait	il	aurait	pris	il	eût	pris
ns	prendrions	ns	aurions	pris	ns	eussions	pris
vs	prendriez	vs	auriez	pris	vs	eussiez	pris
ils	prendraient	ils	auraient	pris	ils	eussent	pris

IMPÉRATIF

Présent			Passé		
prends	prenons	prenez	aie pris	ayons pris	ayez pris

INFINITIF

Présent	Passé
prendre	avoir pris

PARTICIPE

Présent	Passé	Passé composé
prenant	pris, se	ayant pris

CRAINDRE

INDICATIF

Présent

je	crains
tu	crains
il	craint
ns	craignons
vs	craignez
ils	craignent

Imparfait

je	craignais
tu	craignais
il	craignait
ns	craignions
vs	craigniez
ils	craignaient

Passé simple

je	craignis
tu	craignis
il	craignit
ns	craignîmes
vs	craignîtes
ils	craignirent

Futur simple

je	craindrai
tu	craindras
il	craindra
ns	craindrons
vs	craindrez
ils	craindront

Passé composé

j'	ai	craint
tu	as	craint
il	a	craint
ns	avons	craint
vs	avez	craint
ils	ont	craint

Plus-que-parfait

j'	avais	craint
tu	avais	craint
il	avait	craint
ns	avions	craint
vs	aviez	craint
ils	avaient	craint

Passé antérieur

j'	eus	craint
tu	eus	craint
il	eut	craint
ns	eûmes	craint
vs	eûtes	craint
ils	eurent	craint

Futur antérieur

j'	aurai	craint
tu	auras	craint
il	aura	craint
ns	aurons	craint
vs	aurez	craint
ils	auront	craint

SUBJONCTIF

Présent

que	je	craigne
que	tu	craignes
qu'	il	craigne
que	ns	craignions
que	vs	craigniez
qu'	ils	craignent

Imparfait

que	je	craignisse
que	tu	craignisses
qu'	il	craignît
que	ns	craignissions
que	vs	craignissiez
qu'	ils	craignissent

Passé

que	j'	aie	craint
que	tu	aies	craint
qu'	il	ait	craint
que	ns	ayons	craint
que	vs	ayez	craint
qu'	ils	aient	craint

Plus-que-parfait

que	j'	eusse	craint
que	tu	eusses	craint
qu'	il	eût	craint
que	ns	eussions	craint
que	vs	eussiez	craint
qu'	ils	eussent	craint

CONDITIONNEL

Présent

je	craindrais
tu	craindrais
il	craindrait
ns	craindrions
vs	craindriez
ils	craindraient

Passé 1re forme

j'	aurais	craint
tu	aurais	craint
il	aurait	craint
ns	aurions	craint
vs	auriez	craint
ils	auraient	craint

Passé 2e forme

j'	eusse	craint
tu	eusses	craint
il	eût	craint
ns	eussions	craint
vs	eussiez	craint
ils	eussent	craint

IMPÉRATIF

Présent

crains   craignons   craignez

Passé

aie craint   ayons craint   ayez craint

INFINITIF

Présent	Passé
craindre	avoir craint

PARTICIPE

Présent	Passé	Passé composé
craignant	craint, te	ayant craint

INDICATIF

Présent	Passé composé		SUBJONCTIF

INDICATIF

Présent
je peins
tu peins
il peint
ns peignons
vs peignez
ils peignent

Passé composé
j' ai peint
tu as peint
il a peint
ns avons peint
vs avez peint
ils ont peint

Imparfait
je peignais
tu peignais
il peignait
ns peignions
vs peigniez
ils peignaient

Plus-que-parfait
j' avais peint
tu avais peint
il avait peint
ns avions peint
vs aviez peint
ils avaient peint

Passé simple
je peignis
tu peignis
il peignit
ns peignîmes
vs peignîtes
ils peignirent

Passé antérieur
j' eus peint
tu eus peint
il eut peint
ns eûmes peint
vs eûtes peint
ils eurent peint

Futur simple
je peindrai
tu peindras
il peindra
ns peindrons
vs peindrez
ils peindront

Futur antérieur
j' aurai peint
tu auras peint
il aura peint
ns aurons peint
vs aurez peint
ils auront peint

SUBJONCTIF

Présent
que je peigne
que tu peignes
qu' il peigne
que ns peignions
que vs peigniez
qu' ils peignent

Imparfait
que je peignisse
que tu peignisses
qu' il peignît
que ns peignissions
que vs peignissiez
qu' ils peignissent

Passé
que j' aie peint
que tu aies peint
qu' il ait peint
que ns ayons peint
que vs ayez peint
qu' ils aient peint

Plus-que-parfait
que j' eusse peint
que tu eusses peint
qu' il eût peint
que ns eussions peint
que vs eussiez peint
qu' ils eussent peint

CONDITIONNEL

Présent
je peindrais
tu peindrais
il peindrait
ns peindrions
vs peindriez
ils peindraient

Passé 1ʳᵉ forme
j' aurais peint
tu aurais peint
il aurait peint
ns aurions peint
vs auriez peint
ils auraient peint

Passé 2ᵉ forme
j' eusse peint
tu eusses peint
il eût peint
ns eussions peint
vs eussiez peint
ils eussent peint

IMPÉRATIF

Présent
peins   peignons   peignez

Passé
aie peint   ayons peint   ayez peint

INFINITIF

Présent
peindre

Passé
avoir peint

PARTICIPE

Présent
peignant

Passé
peint, te

Passé composé
ayant peint

INDICATIF

Présent
je joins
tu joins
il joint
ns joignons
vs joignez
ils joignent

Passé composé
j' ai joint
tu as joint
il a joint
ns avons joint
vs avez joint
ils ont joint

Imparfait
je joignais
tu joignais
il joignait
ns joignions
vs joigniez
ils joignaient

Plus-que-parfait
j' avais joint
tu avais joint
il avait joint
ns avions joint
vs aviez joint
ils avaient joint

Passé simple
je joignis
tu joignis
il joignit
ns joignîmes
vs joignîtes
ils joignirent

Passé antérieur
j' eus joint
tu eus joint
il eut joint
ns eûmes joint
vs eûtes joint
ils eurent joint

Futur simple
je joindrai
tu joindras
il joindra
ns joindrons
vs joindrez
ils joindront

Futur antérieur
j' aurai joint
tu auras joint
il aura joint
ns aurons joint
vs aurez joint
ils auront joint

SUBJONCTIF

Présent
que je joigne
que tu joignes
qu' il joigne
que ns joignions
que vs joigniez
qu' ils joignent

Imparfait
que je joignisse
que tu joignisses
qu' il joignît
que ns joignissions
que vs joignissiez
qu' ils joignissent

Passé
que j' aie joint
que tu aies joint
qu' il ait joint
que ns ayons joint
que vs ayez joint
qu' ils aient joint

Plus-que-parfait
que j' eusse joint
que tu eusses joint
qu' il eût joint
que ns eussions joint
que vs eussiez joint
qu' ils eussent joint

CONDITIONNEL

Présent
je joindrais
tu joindrais
il joindrait
ns joindrions
vs joindriez
ils joindraient

Passé 1re forme
j' aurais joint
tu aurais joint
il aurait joint
ns aurions joint
vs auriez joint
ils auraient joint

Passé 2e forme
j' eusse joint
tu eusses joint
il eût joint
ns eussions joint
vs eussiez joint
ils eussent joint

IMPÉRATIF

Présent
joins   joignons   joignez

Passé
aie joint   ayons joint   ayez joint

INFINITIF

Présent
joindre

Passé
avoir joint

PARTICIPE

Présent
joignant

Passé
joint, te

Passé composé
ayant joint

INDICATIF

Présent
je résous
tu résous
il résout
ns résolvons
vs résolvez
ils résolvent

Passé composé
j' ai résolu
tu as résolu
il a résolu
ns avons résolu
vs avez résolu
ils ont résolu

Imparfait
je résolvais
tu résolvais
il résolvait
ns résolvions
vs résolviez
ils résolvaient

Plus-que-parfait
j' avais résolu
tu avais résolu
il avait résolu
ns avions résolu
vs aviez résolu
ils avaient résolu

Passé simple
je résolus
tu résolus
il résolut
ns résolûmes
vs résolûtes
ils résolurent

Passé antérieur
j' eus résolu
tu eus résolu
il eut résolu
ns eûmes résolu
vs eûtes résolu
ils eurent résolu

Futur simple
je résoudrai
tu résoudras
il résoudra
ns résoudrons
vs résoudrez
ils résoudront

Futur antérieur
j' aurai résolu
tu auras résolu
il aura résolu
ns aurons résolu
vs aurez résolu
ils auront résolu

SUBJONCTIF

Présent
que je résolve
que tu résolves
qu' il résolve
que ns résolvions
que vs résolviez
qu' ils résolvent

Imparfait
que je résolusse
que tu résolusses
qu' il résolût
que ns résolussions
que vs résolussiez
qu' ils résolussent

Passé
que j' aie résolu
que tu aies résolu
qu' il ait résolu
que ns ayons résolu
que vs ayez résolu
qu' ils aient résolu

Plus-que-parfait
que j' eusse résolu
que tu eusses résolu
qu' il eût résolu
que ns eussions résolu
que vs eussiez résolu
qu' ils eussent résolu

CONDITIONNEL

Présent
je résoudrais
tu résoudrais
il résoudrait
ns résoudrions
vs résoudriez
ils résoudraient

Passé 1re forme
j' aurais résolu
tu aurais résolu
il aurait résolu
ns aurions résolu
vs auriez résolu
ils auraient résolu

Passé 2e forme
j' eusse résolu
tu eusses résolu
il eût résolu
ns eussions résolu
vs eussiez résolu
ils eussent résolu

IMPÉRATIF

Présent
résous résolvons résolvez

Passé
aie résolu ayons résolu ayez résolu

INFINITIF

Présent
résoudre

Passé
avoir résolu

PARTICIPE

Présent
résolvant

Passé
résolu, e

Passé composé
ayant résolu

INDICATIF

Présent
je couds
tu couds
il coud
ns cousons
vs cousez
ils cousent

Passé composé
j' ai cousu
tu as cousu
il a cousu
ns avons cousu
vs avez cousu
ils ont cousu

Imparfait
je cousais
tu cousais
il cousait
ns cousions
vs cousiez
ils cousaient

Plus-que-parfait
j' avais cousu
tu avais cousu
il avait cousu
ns avions cousu
vs aviez cousu
ils avaient cousu

Passé simple
je cousis
tu cousis
il cousit
ns cousîmes
vs cousîtes
ils cousirent

Passé antérieur
j' eus cousu
tu eus cousu
il eut cousu
ns eûmes cousu
vs eûtes cousu
ils eurent cousu

Futur simple
je coudrai
tu coudras
il coudra
ns coudrons
vs coudrez
ils coudront

Futur antérieur
j' aurai cousu
tu auras cousu
il aura cousu
ns aurons cousu
vs aurez cousu
ils auront cousu

SUBJONCTIF

Présent
que je couse
que tu couses
qu' il couse
que ns cousions
que vs cousiez
qu' ils cousent

Imparfait
que je cousisse
que tu cousisses
qu' il cousît
que ns cousissions
que vs cousissiez
qu' ils cousissent

Passé
que j' aie cousu
que tu aies cousu
qu' il ait cousu
que ns ayons cousu
que vs ayez cousu
qu' ils aient cousu

Plus-que-parfait
que j' eusse cousu
que tu eusses cousu
qu' il eût cousu
que ns eussions cousu
que vs eussiez cousu
qu' ils eussent cousu

CONDITIONNEL

Présent
je coudrais
tu coudrais
il coudrait
ns coudrions
vs coudriez
ils coudraient

Passé 1ʳᵉ forme
j' aurais cousu
tu aurais cousu
il aurait cousu
ns aurions cousu
vs auriez cousu
ils auraient cousu

Passé 2ᵉ forme
j' eusse cousu
tu eusses cousu
il eût cousu
ns eussions cousu
vs eussiez cousu
ils eussent cousu

IMPÉRATIF

Présent
couds cousons cousez

Passé
aie cousu ayons cousu ayez cousu

INFINITIF

Présent
coudre

Passé
avoir cousu

PARTICIPE

Présent
cousant

Passé
cousu, e

Passé composé
ayant cousu

INDICATIF

Présent
je	mouds
tu	mouds
il	moud
ns	moulons
vs	moulez
ils	moulent

Imparfait
je	moulais
tu	moulais
il	moulait
ns	moulions
vs	mouliez
ils	moulaient

Passé simple
je	moulus
tu	moulus
il	moulut
ns	moulûmes
vs	moulûtes
ils	moulurent

Futur simple
je	moudrai
tu	moudras
il	moudra
ns	moudrons
vs	moudrez
ils	moudront

Passé composé
j'	ai	moulu
tu	as	moulu
il	a	moulu
ns	avons	moulu
vs	avez	moulu
ils	ont	moulu

Plus-que-parfait
j'	avais	moulu
tu	avais	moulu
il	avait	moulu
ns	avions	moulu
vs	aviez	moulu
ils	avaient	moulu

Passé antérieur
j'	eus	moulu
tu	eus	moulu
il	eut	moulu
ns	eûmes	moulu
vs	eûtes	moulu
ils	eurent	moulu

Futur antérieur
j'	aurai	moulu
tu	auras	moulu
il	aura	moulu
ns	aurons	moulu
vs	aurez	moulu
ils	auront	moulu

SUBJONCTIF

Présent
que	je	moule
que	tu	moules
qu'	il	moule
que	ns	moulions
que	vs	mouliez
qu'	ils	moulent

Imparfait
que	je	moulusse
que	tu	moulusses
qu'	il	moulût
que	ns	moulussions
que	vs	moulussiez
qu'	ils	moulussent

Passé
que	j'	aie	moulu
que	tu	aies	moulu
qu'	il	ait	moulu
que	ns	ayons	moulu
que	vs	ayez	moulu
qu'	ils	aient	moulu

Plus-que-parfait
que	j'	eusse	moulu
que	tu	eusses	moulu
qu'	il	eût	moulu
que	ns	eussions	moulu
que	vs	eussiez	moulu
qu'	ils	eussent	moulu

CONDITIONNEL

Présent
je	moudrais
tu	moudrais
il	moudrait
ns	moudrions
vs	moudriez
ils	moudraient

Passé 1ʳᵉ forme
j'	aurais	moulu
tu	aurais	moulu
il	aurait	moulu
ns	aurions	moulu
vs	auriez	moulu
ils	auraient	moulu

Passé 2ᵉ forme
j'	eusse	moulu
tu	eusses	moulu
il	eût	moulu
ns	eussions	moulu
vs	eussiez	moulu
ils	eussent	moulu

IMPÉRATIF

Présent
mouds   moulons   moulez

Passé
aie moulu ayons moulu ayez moulu

INFINITIF

Présent	**Passé**
moudre	avoir moulu

PARTICIPE

Présent	**Passé**	**Passé composé**
moulant	moulu, e	ayant moulu

ROMPRE

INDICATIF

Présent
je romps
tu romps
il rompt
ns rompons
vs rompez
ils rompent

Passé composé
j' ai rompu
tu as rompu
il a rompu
ns avons rompu
vs avez rompu
ils ont rompu

Imparfait
je rompais
tu rompais
il rompait
ns rompions
vs rompiez
ils rompaient

Plus-que-parfait
j' avais rompu
tu avais rompu
il avait rompu
ns avions rompu
vs aviez rompu
ils avaient rompu

Passé simple
je rompis
tu rompis
il rompit
ns rompîmes
vs rompîtes
ils rompirent

Passé antérieur
j' eus rompu
tu eus rompu
il eut rompu
ns eûmes rompu
vs eûtes rompu
ils eurent rompu

Futur simple
je romprai
tu rompras
il rompra
ns romprons
vs romprez
ils rompront

Futur antérieur
j' aurai rompu
tu auras rompu
il aura rompu
ns aurons rompu
vs aurez rompu
ils auront rompu

SUBJONCTIF

Présent
que je rompe
que tu rompes
qu' il rompe
que ns rompions
que vs rompiez
qu' ils rompent

Imparfait
que je rompisse
que tu rompisses
qu' il rompît
que ns rompissions
que vs rompissiez
qu' ils rompissent

Passé
que j' aie rompu
que tu aies rompu
qu' il ait rompu
que ns ayons rompu
que vs ayez rompu
qu' ils aient rompu

Plus-que-parfait
que j' eusse rompu
que tu eusses rompu
qu' il eût rompu
que ns eussions rompu
que vs eussiez rompu
qu' ils eussent rompu

CONDITIONNEL

Présent
je romprais
tu romprais
il romprait
ns romprions
vs rompriez
ils rompraient

Passé 1re forme
j' aurais rompu
tu aurais rompu
il aurait rompu
ns aurions rompu
vs auriez rompu
ils auraient rompu

Passé 2e forme
j' eusse rompu
tu eusses rompu
il eût rompu
ns eussions rompu
vs eussiez rompu
ils eussent rompu

IMPÉRATIF

Présent
romps rompons rompez

Passé
aie rompu ayons rompu ayez rompu

INFINITIF

Présent
rompre

Passé
avoir rompu

PARTICIPE

Présent
rompant

Passé
rompu, e

Passé composé
ayant rompu

INDICATIF

Présent

je	vaincs
tu	vaincs
il	vainc
ns	vainquons
vs	vainquez
ils	vainquent

Passé composé

j'	ai	vaincu
tu	as	vaincu
il	a	vaincu
ns	avons	vaincu
vs	avez	vaincu
ils	ont	vaincu

Imparfait

je	vainquais
tu	vainquais
il	vainquait
ns	vainquions
vs	vainquiez
ils	vainquaient

Plus-que-parfait

j'	avais	vaincu
tu	avais	vaincu
il	avait	vaincu
ns	avions	vaincu
vs	aviez	vaincu
ils	avaient	vaincu

Passé simple

je	vainquis
tu	vainquis
il	vainquit
ns	vainquîmes
vs	vainquîtes
ils	vainquirent

Passé antérieur

j'	eus	vaincu
tu	eus	vaincu
il	eut	vaincu
ns	eûmes	vaincu
vs	eûtes	vaincu
ils	eurent	vaincu

Futur simple

je	vaincrai
tu	vaincras
il	vaincra
ns	vaincrons
vs	vaincrez
ils	vaincront

Futur antérieur

j'	aurai	vaincu
tu	auras	vaincu
il	aura	vaincu
ns	aurons	vaincu
vs	aurez	vaincu
ils	auront	vaincu

SUBJONCTIF

Présent

que	je	vainque
que	tu	vainques
qu'	il	vainque
que	ns	vainquions
que	vs	vainquiez
qu'	ils	vainquent

Imparfait

que	je	vainquisse
que	tu	vainquisses
qu'	il	vainquît
que	ns	vainquissions
que	vs	vainquissiez
qu'	ils	vainquissent

Passé

que	j'	aie	vaincu
que	tu	aies	vaincu
qu'	il	ait	vaincu
que	ns	ayons	vaincu
que	vs	ayez	vaincu
qu'	ils	aient	vaincu

Plus-que-parfait

que	j'	eusse	vaincu
que	tu	eusses	vaincu
qu'	il	eût	vaincu
que	ns	eussions	vaincu
que	vs	eussiez	vaincu
qu'	ils	eussent	vaincu

CONDITIONNEL

Présent

je	vaincrais
tu	vaincrais
il	vaincrait
ns	vaincrions
vs	vaincriez
ils	vaincraient

Passé 1re forme

j'	aurais	vaincu
tu	aurais	vaincu
il	aurait	vaincu
ns	aurions	vaincu
vs	auriez	vaincu
ils	auraient	vaincu

Passé 2e forme

j'	eusse	vaincu
tu	eusses	vaincu
il	eût	vaincu
ns	eussions	vaincu
vs	eussiez	vaincu
ils	eussent	vaincu

IMPÉRATIF

Présent

vaincs   vainquons   vainquez

Passé

aie vaincu ayons vaincu ayez vaincu

INFINITIF

Présent

vaincre

Passé

avoir vaincu

PARTICIPE

Présent

vainquant

Passé

vaincu, e

Passé composé

ayant vaincu

BATTRE

INDICATIF

Présent	Passé composé	
je bats	j' ai	battu
tu bats	tu as	battu
il bat	il a	battu
ns battons	ns avons	battu
vs battez	vs avez	battu
ils battent	ils ont	battu

Imparfait	Plus-que-parfait	
je battais	j' avais	battu
tu battais	tu avais	battu
il battait	il avait	battu
ns battions	ns avions	battu
vs battiez	vs aviez	battu
ils battaient	ils avaient	battu

Passé simple	Passé antérieur	
je battis	j' eus	battu
tu battis	tu eus	battu
il battit	il eut	battu
ns battîmes	ns eûmes	battu
vs battîtes	vs eûtes	battu
ils battirent	ils eurent	battu

Futur simple	Futur antérieur	
je battrai	j' aurai	battu
tu battras	tu auras	battu
il battra	il aura	battu
ns battrons	ns aurons	battu
vs battrez	vs aurez	battu
ils battront	ils auront	battu

SUBJONCTIF

Présent	
que je batte	
que tu battes	
qu' il batte	
que ns battions	
que vs battiez	
qu' ils battent	

Imparfait	
que je battisse	
que tu battisses	
qu' il battît	
que ns battissions	
que vs battissiez	
qu' ils battissent	

Passé		
que j' aie	battu
que tu aies	battu
qu' il ait	battu
que ns ayons	battu
que vs ayez	battu
qu' ils aient	battu

Plus-que-parfait		
que j' eusse	battu
que tu eusses	battu
qu' il eût	battu
que ns eussions	battu
que vs eussiez	battu
qu' ils eussent	battu

CONDITIONNEL

Présent	Passé 1re forme		Passé 2e forme	
je battrais	j' aurais	battu	j' eusse	battu
tu battrais	tu aurais	battu	tu eusses	battu
il battrait	il aurait	battu	il eût	battu
ns battrions	ns aurions	battu	ns eussions	battu
vs battriez	vs auriez	battu	vs eussiez	battu
ils battraient	ils auraient	battu	ils eussent	battu

IMPÉRATIF

Présent			Passé		
bats	battons	battez	aie battu	ayons battu	ayez battu

INFINITIF

Présent	Passé
battre	avoir battu

PARTICIPE

Présent	Passé	Passé composé
battant	battu, e	ayant battu

INDICATIF | SUBJONCTIF

Présent
je mets
tu mets
il met
ns mettons
vs mettez
ils mettent

Passé composé
j' ai mis
tu as mis
il a mis
ns avons mis
vs avez mis
ils ont mis

Présent
que je mette
que tu mettes
qu' il mette
que ns mettions
que vs mettiez
qu' ils mettent

Imparfait
je mettais
tu mettais
il mettait
ns mettions
vs mettiez
ils mettaient

Plus-que-parfait
j' avais mis
tu avais mis
il avait mis
ns avions mis
vs aviez mis
ils avaient mis

Imparfait
que je misse
que tu misses
qu' il mît
que ns missions
que vs missiez
qu' ils missent

Passé simple
je mis
tu mis
il mit
ns mîmes
vs mîtes
ils mirent

Passé antérieur
j' eus mis
tu eus mis
il eut mis
ns eûmes mis
vs eûtes mis
ils eurent mis

Passé
que j' aie mis
que tu aies mis
qu' il ait mis
que ns ayons mis
que vs ayez mis
qu' ils aient mis

Futur simple
je mettrai
tu mettras
il mettra
ns mettrons
vs mettrez
ils mettront

Futur antérieur
j' aurai mis
tu auras mis
il aura mis
ns aurons mis
vs aurez mis
ils auront mis

Plus-que-parfait
que j' eusse mis
que tu eusses mis
qu' il eût mis
que ns eussions mis
que vs eussiez mis
qu' ils eussent mis

CONDITIONNEL

Présent
je mettrais
tu mettrais
il mettrait
ns mettrions
vs mettriez
ils mettraient

Passé 1re forme
j' aurais mis
tu aurais mis
il aurait mis
ns aurions mis
vs auriez mis
ils auraient mis

Passé 2e forme
j' eusse mis
tu eusses mis
il eût mis
ns eussions mis
vs eussiez mis
ils eussent mis

IMPÉRATIF

Présent
mets   mettons   mettez

Passé
aie mis   ayons mis   ayez mis

INFINITIF | PARTICIPE

Présent
mettre

Passé
avoir mis

Présent
mettant

Passé
mis, se

Passé composé
ayant mis

CONNAÎTRE

INDICATIF

Présent

je	connais
tu	connais
il	connaît
ns	connaissons
vs	connaissez
ils	connaissent

Passé composé

j'	ai	connu
tu	as	connu
il	a	connu
ns	avons	connu
vs	avez	connu
ils	ont	connu

Imparfait

je	connaissais
tu	connaissais
il	connaissait
ns	connaissions
vs	connaissiez
ils	connaissaient

Plus-que-parfait

j'	avais	connu
tu	avais	connu
il	avait	connu
ns	avions	connu
vs	aviez	connu
ils	avaient	connu

Passé simple

je	connus
tu	connus
il	connut
ns	connûmes
vs	connûtes
ils	connurent

Passé antérieur

j'	eus	connu
tu	eus	connu
il	eut	connu
ns	eûmes	connu
vs	eûtes	connu
ils	eurent	connu

Futur simple

je	connaîtrai
tu	connaîtras
il	connaîtra
ns	connaîtrons
vs	connaîtrez
ils	connaîtront

Futur antérieur

j'	aurai	connu
tu	auras	connu
il	aura	connu
ns	aurons	connu
vs	aurez	connu
ils	auront	connu

SUBJONCTIF

Présent

que	je	connaisse
que	tu	connaisses
qu'	il	connaisse
que	ns	connaissions
que	vs	connaissiez
qu'	ils	connaissent

Imparfait

que	je	connusse
que	tu	connusses
qu'	il	connût
que	ns	connussions
que	vs	connussiez
qu'	ils	connussent

Passé

que	j'	aie	connu
que	tu	aies	connu
qu'	il	ait	connu
que	ns	ayons	connu
que	vs	ayez	connu
qu'	ils	aient	connu

Plus-que-parfait

que	j'	eusse	connu
que	tu	eusses	connu
qu'	il	eût	connu
que	ns	eussions	connu
que	vs	eussiez	connu
qu'	ils	eussent	connu

CONDITIONNEL

Présent

je	connaîtrais
tu	connaîtrais
il	connaîtrait
ns	connaîtrions
vs	connaîtriez
ils	connaîtraient

Passé 1re forme

j'	aurais	connu
tu	aurais	connu
il	aurait	connu
ns	aurions	connu
vs	auriez	connu
ils	auraient	connu

Passé 2e forme

j'	eusse	connu
tu	eusses	connu
il	eût	connu
ns	eussions	connu
vs	eussiez	connu
ils	eussent	connu

IMPÉRATIF

Présent

connais   connaissons   connaissez

Passé

aie connu   ayons connu   ayez connu

INFINITIF

Présent

connaître

Passé

avoir connu

PARTICIPE

Présent

connaissant

Passé

connu, e

Passé composé

ayant connu

INDICATIF

Présent
je nais
tu nais
il naît
ns naissons
vs naissez
ils naissent

Passé composé
je suis né
tu es né
il est né
ns sommes nés
vs êtes nés
ils sont nés

Imparfait
je naissais
tu naissais
il naissait
ns naissions
vs naissiez
ils naissaient

Plus-que-parfait
j' étais né
tu étais né
il était né
ns étions nés
vs étiez nés
ils étaient nés

Passé simple
je naquis
tu naquis
il naquit
ns naquîmes
vs naquîtes
ils naquirent

Passé antérieur
je fus né
tu fus né
il fut né
ns fûmes nés
vs fûtes nés
ils furent nés

Futur simple
je naîtrai
tu naîtras
il naîtra
ns naîtrons
vs naîtrez
ils naîtront

Futur antérieur
je serai né
tu seras né
il sera né
ns serons nés
vs serez nés
ils seront nés

SUBJONCTIF

Présent
que je naisse
que tu naisses
qu' il naisse
que ns naissions
que vs naissiez
qu' ils naissent

Imparfait
que je naquisse
que tu naquisses
qu' il naquît
que ns naquissions
que vs naquissiez
qu' ils naquissent

Passé
que je sois né
que tu sois né
qu' il soit né
que ns soyons nés
que vs soyez nés
qu' ils soient nés

Plus-que-parfait
que je fusse né
que tu fusses né
qu' il fût né
que ns fussions nés
que vs fussiez nés
qu' ils fussent nés

CONDITIONNEL

Présent
je naîtrais
tu naîtrais
il naîtrait
ns naîtrions
vs naîtriez
ils naîtraient

Passé 1re forme
je serais né
tu serais né
il serait né
ns serions nés
vs seriez nés
ils seraient nés

Passé 2e forme
je fusse né
tu fusses né
il fût né
ns fussions nés
vs fussiez nés
ils fussent nés

IMPÉRATIF

Présent
nais naissons naissez

Passé
sois né soyons nés soyez nés

INFINITIF

Présent
naître

Passé
être né

PARTICIPE

Présent
naissant

Passé
né, e

Passé composé
étant né

CROÎTRE

INDICATIF

Présent
je crois
tu crois
il croît
ns croissons
vs croissez
ils croissent

Passé composé
j' ai crû
tu as crû
il a crû
ns avons crû
vs avez crû
ils ont crû

Imparfait
je croissais
tu croissais
il croissait
ns croissions
vs croissiez
ils croissaient

Plus-que-parfait
j' avais crû
tu avais crû
il avait crû
ns avions crû
vs aviez crû
ils avaient crû

Passé simple
je crûs
tu crûs
il crût
ns crûmes
vs crûtes
ils crûrent

Passé antérieur
j' eus crû
tu eus crû
il eut crû
ns eûmes crû
vs eûtes crû
ils eurent crû

Futur simple
je croîtrai
tu croîtras
il croîtra
ns croîtrons
vs croîtrez
ils croîtront

Futur antérieur
j' aurai crû
tu auras crû
il aura crû
ns aurons crû
vs aurez crû
ils auront crû

SUBJONCTIF

Présent
que je croisse
que tu croisses
qu' il croisse
que ns croissions
que vs croissiez
qu' ils croissent

Imparfait
que je crûsse
que tu crûsses
qu' il crût
que ns crûssions
que vs crûssiez
qu' ils crûssent

Passé
que j' aie crû
que tu aies crû
qu' il ait crû
que ns ayons crû
que vs ayez crû
qu' ils aient crû

Plus-que-parfait
que j' eusse crû
que tu eusses crû
qu' il eût crû
que ns eussions crû
que vs eussiez crû
qu' ils eussent crû

CONDITIONNEL

Présent
je croîtrais
tu croîtrais
il croîtrait
ns croîtrions
vs croîtriez
ils croîtraient

Passé 1ʳᵉ forme
j' aurais crû
tu aurais crû
il aurait crû
ns aurions crû
vs auriez crû
ils auraient crû

Passé 2ᵉ forme
j' eusse crû
tu eusses crû
il eût crû
ns eussions crû
vs eussiez crû
ils eussent crû

IMPÉRATIF

Présent
crois   croissons   croissez

Passé
aie crû   ayons crû   ayez crû

INFINITIF

Présent
croître

Passé
avoir crû

PARTICIPE

Présent
croissant

Passé
crû, crûe

Passé composé
ayant crû

INDICATIF

Présent

je	crois
tu	crois
il	croit
ns	croyons
vs	croyez
ils	croient

Passé composé

j'	ai	cru
tu	as	cru
il	a	cru
ns	avons	cru
vs	avez	cru
ils	ont	cru

Imparfait

je	croyais
tu	croyais
il	croyait
ns	croyions
vs	croyiez
ils	croyaient

Plus-que-parfait

j'	avais	cru
tu	avais	cru
il	avait	cru
ns	avions	cru
vs	aviez	cru
ils	avaient	cru

Passé simple

je	crus
tu	crus
il	crut
ns	crûmes
vs	crûtes
ils	crurent

Passé antérieur

j'	eus	cru
tu	eus	cru
il	eut	cru
ns	eûmes	cru
vs	eûtes	cru
ils	eurent	cru

Futur simple

je	croirai
tu	croiras
il	croira
ns	croirons
vs	croirez
ils	croiront

Futur antérieur

j'	aurai	cru
tu	auras	cru
il	aura	cru
ns	aurons	cru
vs	aurez	cru
ils	auront	cru

SUBJONCTIF

Présent

que je	croie
que tu	croies
qu' il	croie
que ns	croyions
que vs	croyiez
qu' ils	croient

Imparfait

que je	crusse
que tu	crusses
qu' il	crût
que ns	crussions
que vs	crussiez
qu' ils	crussent

Passé

que j'	aie	cru
que tu	aies	cru
qu' il	ait	cru
que ns	ayons	cru
que vs	ayez	cru
qu' ils	aient	cru

Plus-que-parfait

que j'	eusse	cru
que tu	eusses	cru
qu' il	eût	cru
que ns	eussions	cru
que vs	eussiez	cru
qu' ils	eussent	cru

CONDITIONNEL

Présent

je	croirais
tu	croirais
il	croirait
ns	croirions
vs	croiriez
ils	croiraient

Passé 1ʳᵉ forme

j'	aurais	cru
tu	aurais	cru
il	aurait	cru
ns	aurions	cru
vs	auriez	cru
ils	auraient	cru

Passé 2ᵉ forme

j'	eusse	cru
tu	eusses	cru
il	eût	cru
ns	eussions	cru
vs	eussiez	cru
ils	eussent	cru

IMPÉRATIF

Présent

crois   croyons   croyez

Passé

aie cru   ayons cru   ayez cru

INFINITIF

| **Présent** | **Passé** |
| croire | avoir cru |

PARTICIPE

| **Présent** | **Passé** | **Passé composé** |
| croyant | cru, e | ayant cru |

PLAIRE

INDICATIF

Présent

je	plais
tu	plais
il	plaît
ns	plaisons
vs	plaisez
ils	plaisent

Passé composé

j'	ai	plu
tu	as	plu
il	a	plu
ns	avons	plu
vs	avez	plu
ils	ont	plu

Imparfait

je	plaisais
tu	plaisais
il	plaisait
ns	plaisions
vs	plaisiez
ils	plaisaient

Plus-que-parfait

j'	avais	plu
tu	avais	plu
il	avait	plu
ns	avions	plu
vs	aviez	plu
ils	avaient	plu

Passé simple

je	plus
tu	plus
il	plut
ns	plûmes
vs	plûtes
ils	plurent

Passé antérieur

j'	eus	plu
tu	eus	plu
il	eut	plu
ns	eûmes	plu
vs	eûtes	plu
ils	eurent	plu

Futur simple

je	plairai
tu	plairas
il	plaira
ns	plairons
vs	plairez
ils	plairont

Futur antérieur

j'	aurai	plu
tu	auras	plu
il	aura	plu
ns	aurons	plu
vs	aurez	plu
ils	auront	plu

SUBJONCTIF

Présent

que	je	plaise
que	tu	plaises
qu'	il	plaise
que	ns	plaisions
que	vs	plaisiez
qu'	ils	plaisent

Imparfait

que	je	plusse
que	tu	plusses
qu'	il	plût
que	ns	plussions
que	vs	plussiez
qu'	ils	plussent

Passé

que	j'	aie	plu
que	tu	aies	plu
qu'	il	ait	plu
que	ns	ayons	plu
que	vs	ayez	plu
qu'	ils	aient	plu

Plus-que-parfait

que	j'	eusse	plu
que	tu	eusses	plu
qu'	il	eût	plu
que	ns	eussions	plu
que	vs	eussiez	plu
qu'	ils	eussent	plu

CONDITIONNEL

Présent

je	plairais
tu	plairais
il	plairait
ns	plairions
vs	plairiez
ils	plairaient

Passé 1re forme

j'	aurais	plu
tu	aurais	plu
il	aurait	plu
ns	aurions	plu
vs	auriez	plu
ils	auraient	plu

Passé 2e forme

j'	eusse	plu
tu	eusses	plu
il	eût	plu
ns	eussions	plu
vs	eussiez	plu
ils	eussent	plu

IMPÉRATIF

Présent

plais	plaisons	plaisez

Passé

aie plu	ayons plu	ayez plu

INFINITIF

Présent	Passé
plaire	avoir plu

PARTICIPE

Présent	Passé	Passé composé
plaisant	plu	ayant plu

INDICATIF

Présent

je	trais
tu	trais
il	trait
ns	trayons
vs	trayez
ils	traient

Passé composé

j'	ai	trait
tu	as	trait
il	a	trait
ns	avons	trait
vs	avez	trait
ils	ont	trait

Imparfait

je	trayais
tu	trayais
il	trayait
ns	trayions
vs	trayiez
ils	trayaient

Plus-que-parfait

j'	avais	trait
tu	avais	trait
il	avait	trait
ns	avions	trait
vs	aviez	trait
ils	avaient	trait

Passé simple

inusité

Passé antérieur

j'	eus	trait
tu	eus	trait
il	eut	trait
ns	eûmes	trait
vs	eûtes	trait
ils	eurent	trait

Futur simple

je	trairai
tu	trairas
il	traira
ns	trairons
vs	trairez
ils	trairont

Futur antérieur

j'	aurai	trait
tu	auras	trait
il	aura	trait
ns	aurons	trait
vs	aurez	trait
ils	auront	trait

SUBJONCTIF

Présent

que	je	traie
que	tu	traies
qu'	il	traie
que	ns	trayions
que	vs	trayiez
qu'	ils	traient

Imparfait

inusité

Passé

que	j'	aie	trait
que	tu	aies	trait
qu'	il	ait	trait
que	ns	ayons	trait
que	vs	ayez	trait
qu'	ils	aient	trait

Plus-que-parfait

que	j'	eusse	trait
que	tu	eusses	trait
qu'	il	eût	trait
que	ns	eussions	trait
que	vs	eussiez	trait
qu'	ils	eussent	trait

CONDITIONNEL

Présent

je	trairais
tu	trairais
il	trairait
ns	trairions
vs	trairiez
ils	trairaient

Passé 1re forme

j'	aurais	trait
tu	aurais	trait
il	aurait	trait
ns	aurions	trait
vs	auriez	trait
ils	auraient	trait

Passé 2e forme

j'	eusse	trait
tu	eusses	trait
il	eût	trait
ns	eussions	trait
vs	eussiez	trait
ils	eussent	trait

IMPÉRATIF

Présent

trais   trayons   trayez

Passé

aie trait   ayons trait   ayez trait

INFINITIF

Présent

traire

Passé

avoir trait

PARTICIPE

Présent

trayant

Passé

trait, te

Passé composé

ayant trait

INDICATIF

Présent
je suis
tu suis
il suit
ns suivons
vs suivez
ils suivent

Passé composé
j' ai suivi
tu as suivi
il a suivi
ns avons suivi
vs avez suivi
ils ont suivi

Imparfait
je suivais
tu suivais
il suivait
ns suivions
vs suiviez
ils suivaient

Plus-que-parfait
j' avais suivi
tu avais suivi
il avait suivi
ns avions suivi
vs aviez suivi
ils avaient suivi

Passé simple
je suivis
tu suivis
il suivit
ns suivîmes
vs suivîtes
ils suivirent

Passé antérieur
j' eus suivi
tu eus suivi
il eut suivi
ns eûmes suivi
vs eûtes suivi
ils eurent suivi

Futur simple
je suivrai
tu suivras
il suivra
ns suivrons
vs suivrez
ils suivront

Futur antérieur
j' aurai suivi
tu auras suivi
il aura suivi
ns aurons suivi
vs aurez suivi
ils auront suivi

SUBJONCTIF

Présent
que je suive
que tu suives
qu' il suive
que ns suivions
que vs suiviez
qu' ils suivent

Imparfait
que je suivisse
que tu suivisses
qu' il suivît
que ns suivissions
que vs suivissiez
qu' ils suivissent

Passé
que j' aie suivi
que tu aies suivi
qu' il ait suivi
que ns ayons suivi
que vs ayez suivi
qu' ils aient suivi

Plus-que-parfait
que j' eusse suivi
que tu eusses suivi
qu' il eût suivi
que ns eussions suivi
que vs eussiez suivi
qu' ils eussent suivi

CONDITIONNEL

Présent
je suivrais
tu suivrais
il suivrait
ns suivrions
vs suivriez
ils suivraient

Passé 1re forme
j' aurais suivi
tu aurais suivi
il aurait suivi
ns aurions suivi
vs auriez suivi
ils auraient suivi

Passé 2e forme
j' eusse suivi
tu eusses suivi
il eût suivi
ns eussions suivi
vs eussiez suivi
ils eussent suivi

IMPÉRATIF

Présent
suis   suivons   suivez

Passé
aie suivi   ayons suivi   ayez suivi

INFINITIF

Présent
suivre

Passé
avoir suivi

PARTICIPE

Présent
suivant

Passé
suivi, e

Passé composé
ayant suivi

VIVRE

INDICATIF

Présent		Passé composé		
je	vis	j'	ai	vécu
tu	vis	tu	as	vécu
il	vit	il	a	vécu
ns	vivons	ns	avons	vécu
vs	vivez	vs	avez	vécu
ils	vivent	ils	ont	vécu

Imparfait		Plus-que-parfait		
je	vivais	j'	avais	vécu
tu	vivais	tu	avais	vécu
il	vivait	il	avait	vécu
ns	vivions	ns	avions	vécu
vs	viviez	vs	aviez	vécu
ils	vivaient	ils	avaient	vécu

Passé simple		Passé antérieur		
je	vécus	j'	eus	vécu
tu	vécus	tu	eus	vécu
il	vécut	il	eut	vécu
ns	vécûmes	ns	eûmes	vécu
vs	vécûtes	vs	eûtes	vécu
ils	vécurent	ils	eurent	vécu

Futur simple		Futur antérieur		
je	vivrai	j'	aurai	vécu
tu	vivras	tu	auras	vécu
il	vivra	il	aura	vécu
ns	vivrons	ns	aurons	vécu
vs	vivrez	vs	aurez	vécu
ils	vivront	ils	auront	vécu

SUBJONCTIF

Présent		
que	je	vive
que	tu	vives
qu'	il	vive
que	ns	vivions
que	vs	viviez
qu'	ils	vivent

Imparfait		
que	je	vécusse
que	tu	vécusses
qu'	il	vécût
que	ns	vécussions
que	vs	vécussiez
qu'	ils	vécussent

Passé			
que	j'	aie	vécu
que	tu	aies	vécu
qu'	il	ait	vécu
que	ns	ayons	vécu
que	vs	ayez	vécu
qu'	ils	aient	vécu

Plus-que-parfait			
que	j'	eusse	vécu
que	tu	eusses	vécu
qu'	il	eût	vécu
que	ns	eussions	vécu
que	vs	eussiez	vécu
qu'	ils	eussent	vécu

CONDITIONNEL

Présent		Passé 1re forme		Passé 2e forme	
je	vivrais	j'	aurais	vécu	j'	eusse	vécu
tu	vivrais	tu	aurais	vécu	tu	eusses	vécu
il	vivrait	il	aurait	vécu	il	eût	vécu
ns	vivrions	ns	aurions	vécu	ns	eussions	vécu
vs	vivriez	vs	auriez	vécu	vs	eussiez	vécu
ils	vivraient	ils	auraient	vécu	ils	eussent	vécu

IMPÉRATIF

Présent			Passé		
vis	vivons	vivez	aie vécu	ayons vécu	ayez vécu

INFINITIF

Présent	Passé
vivre	avoir vécu

PARTICIPE

Présent	Passé	Passé composé
vivant	vécu, e	ayant vécu

INDICATIF

Présent
je suffis
tu suffis
il suffit
ns suffisons
vs suffisez
ils suffisent

Passé composé
j' ai suffi
tu as suffi
il a suffi
ns avons suffi
vs avez suffi
ils ont suffi

Imparfait
je suffisais
tu suffisais
il suffisait
ns suffisions
vs suffisiez
ils suffisaient

Plus-que-parfait
j' avais suffi
tu avais suffi
il avait suffi
ns avions suffi
vs aviez suffi
ils avaient suffi

Passé simple
je suffis
tu suffis
il suffit
ns suffîmes
vs suffîtes
ils suffirent

Passé antérieur
j' eus suffi
tu eus suffi
il eut suffi
ns eûmes suffi
vs eûtes suffi
ils eurent suffi

Futur simple
je suffirai
tu suffiras
il suffira
ns suffirons
vs suffirez
ils suffiront

Futur antérieur
j' aurai suffi
tu auras suffi
il aura suffi
ns aurons suffi
vs aurez suffi
ils auront suffi

SUBJONCTIF

Présent
que je suffise
que tu suffises
qu' il suffise
que ns suffisions
que vs suffisiez
qu' ils suffisent

Imparfait
que je suffisse
que tu suffisses
qu' il suffît
que ns suffissions
que vs suffissiez
qu' ils suffissent

Passé
que j' aie suffi
que tu aies suffi
qu' il ait suffi
que ns ayons suffi
que vs ayez suffi
qu' ils aient suffi

Plus-que-parfait
que j' eusse suffi
que tu eusses suffi
qu' il eût suffi
que ns eussions suffi
que vs eussiez suffi
qu' ils eussent suffi

CONDITIONNEL

Présent
je suffirais
tu suffirais
il suffirait
ns suffirions
vs suffiriez
ils suffiraient

Passé 1re forme
j' aurais suffi
tu aurais suffi
il aurait suffi
ns aurions suffi
vs auriez suffi
ils auraient suffi

Passé 2e forme
j' eusse suffi
tu eusses suffi
il eût suffi
ns eussions suffi
vs eussiez suffi
ils eussent suffi

IMPÉRATIF

Présent
suffis   suffisons   suffisez

Passé
aie suffi   ayons suffi   ayez suffi

INFINITIF

Présent
suffire

Passé
avoir suffi

PARTICIPE

Présent
suffisant

Passé
suffi

Passé composé
ayant suffi

DIRE

INDICATIF

Présent

je	dis
tu	dis
il	dit
ns	disons
vs	dites
ils	disent

Passé composé

j'	ai	dit
tu	as	dit
il	a	dit
ns	avons	dit
vs	avez	dit
ils	ont	dit

Imparfait

je	disais
tu	disais
il	disait
ns	disions
vs	disiez
ils	disaient

Plus-que-parfait

j'	avais	dit
tu	avais	dit
il	avait	dit
ns	avions	dit
vs	aviez	dit
ils	avaient	dit

Passé simple

je	dis
tu	dis
il	dit
ns	dîmes
vs	dîtes
ils	dirent

Passé antérieur

j'	eus	dit
tu	eus	dit
il	eut	dit
ns	eûmes	dit
vs	eûtes	dit
ils	eurent	dit

Futur simple

je	dirai
tu	diras
il	dira
ns	dirons
vs	direz
ils	diront

Futur antérieur

j'	aurai	dit
tu	auras	dit
il	aura	dit
ns	aurons	dit
vs	aurez	dit
ils	auront	dit

SUBJONCTIF

Présent

que	je	dise
que	tu	dises
qu'	il	dise
que	ns	disions
que	vs	disiez
qu'	ils	disent

Imparfait

que	je	disse
que	tu	disses
qu'	il	dît
que	ns	dissions
que	vs	dissiez
qu'	ils	dissent

Passé

que	j'	aie	dit
que	tu	aies	dit
qu'	il	ait	dit
que	ns	ayons	dit
que	vs	ayez	dit
qu'	ils	aient	dit

Plus-que-parfait

que	j'	eusse	dit
que	tu	eusses	dit
qu'	il	eût	dit
que	ns	eussions	dit
que	vs	eussiez	dit
qu'	ils	eussent	dit

CONDITIONNEL

Présent

je	dirais
tu	dirais
il	dirait
ns	dirions
vs	diriez
ils	diraient

Passé 1re forme

j'	aurais	dit
tu	aurais	dit
il	aurait	dit
ns	aurions	dit
vs	auriez	dit
ils	auraient	dit

Passé 2e forme

j'	eusse	dit
tu	eusses	dit
il	eût	dit
ns	eussions	dit
vs	eussiez	dit
ils	eussent	dit

IMPÉRATIF

Présent

dis	disons	dites

Passé

aie dit	ayons dit	ayez dit

INFINITIF

Présent	**Passé**
dire	avoir dit

PARTICIPE

Présent	**Passé**	**Passé composé**
disant	dit, te	ayant dit

INDICATIF

Présent
je	maudis
tu	maudis
il	maudit
ns	maudissons
vs	maudissez
ils	maudissent

Passé composé
j'	ai	maudit
tu	as	maudit
il	a	maudit
ns	avons	maudit
vs	avez	maudit
ils	ont	maudit

Imparfait
je	maudissais
tu	maudissais
il	maudissait
ns	maudissions
vs	maudissiez
ils	maudissaient

Plus-que-parfait
j'	avais	maudit
tu	avais	maudit
il	avait	maudit
ns	avions	maudit
vs	aviez	maudit
ils	avaient	maudit

Passé simple
je	maudis
tu	maudis
il	maudit
ns	maudîmes
vs	maudîtes
ils	maudirent

Passé antérieur
j'	eus	maudit
tu	eus	maudit
il	eut	maudit
ns	eûmes	maudit
vs	eûtes	maudit
ils	eurent	maudit

Futur simple
je	maudirai
tu	maudiras
il	maudira
ns	maudirons
vs	maudirez
ils	maudiront

Futur antérieur
j'	aurai	maudit
tu	auras	maudit
il	aura	maudit
ns	aurons	maudit
vs	aurez	maudit
ils	auront	maudit

SUBJONCTIF

Présent
que	je	maudisse
que	tu	maudisses
qu'	il	maudisse
que	ns	maudissions
que	vs	maudissiez
qu'	ils	maudissent

Imparfait
que	je	maudisse
que	tu	maudisses
qu'	il	maudît
que	ns	maudissions
que	vs	maudissiez
qu'	ils	maudissent

Passé
que	j'	aie	maudit
que	tu	aies	maudit
qu'	il	ait	maudit
que	ns	ayons	maudit
que	vs	ayez	maudit
qu'	ils	aient	maudit

Plus-que-parfait
que	j'	eusse	maudit
que	tu	eusses	maudit
qu'	il	eût	maudit
que	ns	eussions	maudit
que	vs	eussiez	maudit
qu'	ils	eussent	maudit

CONDITIONNEL

Présent
je	maudirais
tu	maudirais
il	maudirait
ns	maudirions
vs	maudiriez
ils	maudiraient

Passé 1ʳᵉ forme
j'	aurais	maudit
tu	aurais	maudit
il	aurait	maudit
ns	aurions	maudit
vs	auriez	maudit
ils	auraient	maudit

Passé 2ᵉ forme
j'	eusse	maudit
tu	eusses	maudit
il	eût	maudit
ns	eussions	maudit
vs	eussiez	maudit
ils	eussent	maudit

IMPÉRATIF

Présent
maudis maudissons maudissez

Passé
aie maudit ayons maudit ayez maudit

INFINITIF

Présent	Passé
maudire	avoir maudit

PARTICIPE

Présent	Passé	Passé composé
maudissant	maudit, te	ayant maudit

LIRE

INDICATIF

Présent		Passé composé		
je	lis	j'	ai	lu
tu	lis	tu	as	lu
il	lit	il	a	lu
ns	lisons	ns	avons	lu
vs	lisez	vs	avez	lu
ils	lisent	ils	ont	lu

Imparfait		Plus-que-parfait		
je	lisais	j'	avais	lu
tu	lisais	tu	avais	lu
il	lisait	il	avait	lu
ns	lisions	ns	avions	lu
vs	lisiez	vs	aviez	lu
ils	lisaient	ils	avaient	lu

Passé simple		Passé antérieur		
je	lus	j'	eus	lu
tu	lus	tu	eus	lu
il	lut	il	eut	lu
ns	lûmes	ns	eûmes	lu
vs	lûtes	vs	eûtes	lu
ils	lurent	ils	eurent	lu

Futur simple		Futur antérieur		
je	lirai	j'	aurai	lu
tu	liras	tu	auras	lu
il	lira	il	aura	lu
ns	lirons	ns	aurons	lu
vs	lirez	vs	aurez	lu
ils	liront	ils	auront	lu

SUBJONCTIF

Présent		
que	je	lise
que	tu	lises
qu'	il	lise
que	ns	lisions
que	vs	lisiez
qu'	ils	lisent

Imparfait		
que	je	lusse
que	tu	lusses
qu'	il	lût
que	ns	lussions
que	vs	lussiez
qu'	ils	lussent

Passé			
que	j'	aie	lu
que	tu	aies	lu
qu'	il	ait	lu
que	ns	ayons	lu
que	vs	ayez	lu
qu'	ils	aient	lu

Plus-que-parfait			
que	j'	eusse	lu
que	tu	eusses	lu
qu'	il	eût	lu
que	ns	eussions	lu
que	vs	eussiez	lu
qu'	ils	eussent	lu

CONDITIONNEL

Présent		Passé 1re forme			Passé 2e forme		
je	lirais	j'	aurais	lu	j'	eusse	lu
tu	lirais	tu	aurais	lu	tu	eusses	lu
il	lirait	il	aurait	lu	il	eût	lu
ns	lirions	ns	aurions	lu	ns	eussions	lu
vs	liriez	vs	auriez	lu	vs	eussiez	lu
ils	liraient	ils	auraient	lu	ils	eussent	lu

IMPÉRATIF

Présent			Passé		
lis	lisons	lisez	aie lu	ayons lu	ayez lu

INFINITIF

Présent	Passé
lire	avoir lu

PARTICIPE

Présent	Passé	Passé composé
lisant	lu, e	ayant lu

INDICATIF

Présent

j'	écris
tu	écris
il	écrit
ns	écrivons
vs	écrivez
ils	écrivent

Passé composé

j'	ai	écrit
tu	as	écrit
il	a	écrit
ns	avons	écrit
vs	avez	écrit
ils	ont	écrit

Imparfait

j'	écrivais
tu	écrivais
il	écrivait
ns	écrivions
vs	écriviez
ils	écrivaient

Plus-que-parfait

j'	avais	écrit
tu	avais	écrit
il	avait	écrit
ns	avions	écrit
vs	aviez	écrit
ils	avaient	écrit

Passé simple

j'	écrivis
tu	écrivis
il	écrivit
ns	écrivîmes
vs	écrivîtes
ils	écrivirent

Passé antérieur

j'	eus	écrit
tu	eus	écrit
il	eut	écrit
ns	eûmes	écrit
vs	eûtes	écrit
ils	eurent	écrit

Futur simple

j'	écrirai
tu	écriras
il	écrira
ns	écrirons
vs	écrirez
ils	écriront

Futur antérieur

j'	aurai	écrit
tu	auras	écrit
il	aura	écrit
ns	aurons	écrit
vs	aurez	écrit
ils	auront	écrit

SUBJONCTIF

Présent

que	j'	écrive
que	tu	écrives
qu'	il	écrive
que	ns	écrivions
que	vs	écriviez
qu'	ils	écrivent

Imparfait

que	j'	écrivisse
que	tu	écrivisses
qu'	il	écrivît
que	ns	écrivissions
que	vs	écrivissiez
qu'	ils	écrivissent

Passé

que	j'	aie	écrit
que	tu	aies	écrit
qu'	il	ait	écrit
que	ns	ayons	écrit
que	vs	ayez	écrit
qu'	ils	aient	écrit

Plus-que-parfait

que	j'	eusse	écrit
que	tu	eusses	écrit
qu'	il	eût	écrit
que	ns	eussions	écrit
que	vs	eussiez	écrit
qu'	ils	eussent	écrit

CONDITIONNEL

Présent

j'	écrirais
tu	écrirais
il	écrirait
ns	écririons
vs	écririez
ils	écriraient

Passé 1re forme

j'	aurais	écrit
tu	aurais	écrit
il	aurait	écrit
ns	aurions	écrit
vs	auriez	écrit
ils	auraient	écrit

Passé 2e forme

j'	eusse	écrit
tu	eusses	écrit
il	eût	écrit
ns	eussions	écrit
vs	eussiez	écrit
ils	eussent	écrit

IMPÉRATIF

Présent

écris   écrivons   écrivez

Passé

aie écrit   ayons écrit   ayez écrit

INFINITIF

Présent

écrire

Passé

avoir écrit

PARTICIPE

Présent	**Passé**	**Passé composé**
écrivant	écrit, te	ayant écrit

INDICATIF | SUBJONCTIF

Présent		Passé composé		Présent	
je	ris	j'	ai ri	que je	rie
tu	ris	tu	as ri	que tu	ries
il	rit	il	a ri	qu' il	rie
ns	rions	ns	avons ri	que ns	riions
vs	riez	vs	avez ri	que vs	riiez
ils	rient	ils	ont ri	qu' ils	rient

Imparfait		Plus-que-parfait		Imparfait	
je	riais	j'	avais ri	que je	risse
tu	riais	tu	avais ri	que tu	risses
il	riait	il	avait ri	qu' il	rît
ns	riions	ns	avions ri	que ns	rissions
vs	riiez	vs	aviez ri	que vs	rissiez
ils	riaient	ils	avaient ri	qu' ils	rissent

Passé simple		Passé antérieur		Passé	
je	ris	j'	eus ri	que j'	aie ri
tu	ris	tu	eus ri	que tu	aies ri
il	rit	il	eut ri	qu' il	ait ri
ns	rîmes	ns	eûmes ri	que ns	ayons ri
vs	rîtes	vs	eûtes ri	que vs	ayez ri
ils	rirent	ils	eurent ri	qu' ils	aient ri

Futur simple		Futur antérieur		Plus-que-parfait	
je	rirai	j'	aurai ri	que j'	eusse ri
tu	riras	tu	auras ri	que tu	eusses ri
il	rira	il	aura ri	qu' il	eût ri
ns	rirons	ns	aurons ri	que ns	eussions ri
vs	rirez	vs	aurez ri	que vs	eussiez ri
ils	riront	ils	auront ri	qu' ils	eussent ri

CONDITIONNEL

Présent		Passé 1ʳᵉ forme		Passé 2ᵉ forme	
je	rirais	j'	aurais ri	j'	eusse ri
tu	rirais	tu	aurais ri	tu	eusses ri
il	rirait	il	aurait ri	il	eût ri
ns	ririons	ns	aurions ri	ns	eussions ri
vs	ririez	vs	auriez ri	vs	eussiez ri
ils	riraient	ils	auraient ri	ils	eussent ri

IMPÉRATIF

Présent			Passé		
ris	rions	riez	aie ri	ayons ri	ayez ri

INFINITIF | PARTICIPE

Présent	Passé	Présent	Passé	Passé composé
rire	avoir ri	riant	ri	ayant ri

INDICATIF

Présent
je conduis
tu conduis
il conduit
ns conduisons
vs conduisez
ils conduisent

Passé composé
j' ai conduit
tu as conduit
il a conduit
ns avons conduit
vs avez conduit
ils ont conduit

Imparfait
je conduisais
tu conduisais
il conduisait
ns conduisions
vs conduisiez
ils conduisaient

Plus-que-parfait
j' avais conduit
tu avais conduit
il avait conduit
ns avions conduit
vs aviez conduit
ils avaient conduit

Passé simple
je conduisis
tu conduisis
il conduisit
ns conduisîmes
vs conduisîtes
ils conduisirent

Passé antérieur
j' eus conduit
tu eus conduit
il eut conduit
ns eûmes conduit
vs eûtes conduit
ils eurent conduit

Futur simple
je conduirai
tu conduiras
il conduira
ns conduirons
vs conduirez
ils conduiront

Futur antérieur
j' aurai conduit
tu auras conduit
il aura conduit
ns aurons conduit
vs aurez conduit
ils auront conduit

SUBJONCTIF

Présent
que je conduise
que tu conduises
qu' il conduise
que ns conduisions
que vs conduisiez
qu' ils conduisent

Imparfait
que je conduisisse
que tu conduisisses
qu' il conduisît
que ns conduisissions
que vs conduisissiez
qu' ils conduisissent

Passé
que j' aie conduit
que tu aies conduit
qu' il ait conduit
que ns ayons conduit
que vs ayez conduit
qu' ils aient conduit

Plus-que-parfait
que j' eusse conduit
que tu eusses conduit
qu' il eût conduit
que ns eussions conduit
que vs eussiez conduit
qu' ils eussent conduit

CONDITIONNEL

Présent
je conduirais
tu conduirais
il conduirait
ns conduirions
vs conduiriez
ils conduiraient

Passé 1ʳᵉ forme
j' aurais conduit
tu aurais conduit
il aurait conduit
ns aurions conduit
vs auriez conduit
ils auraient conduit

Passé 2ᵉ forme
j' eusse conduit
tu eusses conduit
il eût conduit
ns eussions conduit
vs eussiez conduit
ils eussent conduit

IMPÉRATIF

Présent
conduis conduisons conduisez

Passé
aie conduit ayons conduit ayez conduit

INFINITIF

Présent
conduire

Passé
avoir conduit

PARTICIPE

Présent
conduisant

Passé
conduit, te

Passé composé
ayant conduit

INDICATIF

Présent	Passé composé
je bois	j' ai bu
tu bois	tu as bu
il boit	il a bu
ns buvons	ns avons bu
vs buvez	vs avez bu
ils boivent	ils ont bu

Imparfait	Plus-que-parfait
je buvais	j' avais bu
tu buvais	tu avais bu
il buvait	il avait bu
ns buvions	ns avions bu
vs buviez	vs aviez bu
ils buvaient	ils avaient bu

Passé simple	Passé antérieur
je bus	j' eus bu
tu bus	tu eus bu
il but	il eut bu
ns bûmes	ns eûmes bu
vs bûtes	vs eûtes bu
ils burent	ils eurent bu

Futur simple	Futur antérieur
je boirai	j' aurai bu
tu boiras	tu auras bu
il boira	il aura bu
ns boirons	ns aurons bu
vs boirez	vs aurez bu
ils boiront	ils auront bu

SUBJONCTIF

Présent
que je boive
que tu boives
qu' il boive
que ns buvions
que vs buviez
qu' ils boivent

Imparfait
que je busse
que tu busses
qu' il bût
que ns bussions
que vs bussiez
qu' ils bussent

Passé
que j' aie bu
que tu aies bu
qu' il ait bu
que ns ayons bu
que vs ayez bu
qu' ils aient bu

Plus-que-parfait
que j' eusse bu
que tu eusses bu
qu' il eût bu
que ns eussions bu
que vs eussiez bu
qu' ils eussent bu

CONDITIONNEL

Présent	Passé 1ʳᵉ forme	Passé 2ᵉ forme
je boirais	j' aurais bu	j' eusse bu
tu boirais	tu aurais bu	tu eusses bu
il boirait	il aurait bu	il eût bu
ns boirions	ns aurions bu	ns eussions bu
vs boiriez	vs auriez bu	vs eussiez bu
ils boiraient	ils auraient bu	ils eussent bu

IMPÉRATIF

Présent			Passé		
bois	buvons	buvez	aie bu	ayons bu	ayez bu

INFINITIF

Présent	Passé
boire	avoir bu

PARTICIPE

Présent	Passé	Passé composé
buvant	bu, e	ayant bu

INDICATIF

Présent
je conclus
tu conclus
il conclut
ns concluons
vs concluez
ils concluent

Passé composé
j' ai conclu
tu as conclu
il a conclu
ns avons conclu
vs avez conclu
ils ont conclu

Imparfait
je concluais
tu concluais
il concluait
ns concluions
vs concluiez
ils concluaient

Plus-que-parfait
j' avais conclu
tu avais conclu
il avait conclu
ns avions conclu
vs aviez conclu
ils avaient conclu

Passé simple
je conclus
tu conclus
il conclut
ns conclûmes
vs conclûtes
ils conclurent

Passé antérieur
j' eus conclu
tu eus conclu
il eut conclu
ns eûmes conclu
vs eûtes conclu
ils eurent conclu

Futur simple
je conclurai
tu concluras
il conclura
ns conclurons
vs conclurez
ils concluront

Futur antérieur
j' aurai conclu
tu auras conclu
il aura conclu
ns aurons conclu
vs aurez conclu
ils auront conclu

SUBJONCTIF

Présent
que je conclue
que tu conclues
qu' il conclue
que ns concluions
que vs concluiez
qu' ils concluent

Imparfait
que je conclusse
que tu conclusses
qu' il conclût
que ns conclussions
que vs conclussiez
qu' ils conclussent

Passé
que j' aie conclu
que tu aies conclu
qu' il ait conclu
que ns ayons conclu
que vs ayez conclu
qu' ils aient conclu

Plus-que-parfait
que j' eusse conclu
que tu eusses conclu
qu' il eût conclu
que ns eussions conclu
que vs eussiez conclu
qu' ils eussent conclu

CONDITIONNEL

Présent
je conclurais
tu conclurais
il conclurait
ns conclurions
vs concluriez
ils concluraient

Passé 1ʳᵉ forme
j' aurais conclu
tu aurais conclu
il aurait conclu
ns aurions conclu
vs auriez conclu
ils auraient conclu

Passé 2ᵉ forme
j' eusse conclu
tu eusses conclu
il eût conclu
ns eussions conclu
vs eussiez conclu
ils eussent conclu

IMPÉRATIF

Présent
conclus   concluons   concluez

Passé
aie conclu   ayons conclu   ayez conclu

INFINITIF

Présent
conclure

Passé
avoir conclu

PARTICIPE

Présent
concluant

Passé
conclu, e

Passé composé
ayant conclu

INDICATIF

Présent		Passé composé		
je	clos	j'	ai	clos
tu	clos	tu	as	clos
il	clôt	il	a	clos
inusité		ns	avons	clos
inusité		vs	avez	clos
ils	closent	ils	ont	clos

Imparfait		Plus-que-parfait		
inusité		j'	avais	clos
		tu	avais	clos
		il	avait	clos
		ns	avions	clos
		vs	aviez	clos
		ils	avaient	clos

Passé simple		Passé antérieur		
inusité		j'	eus	clos
		tu	eus	clos
		il	eut	clos
		ns	eûmes	clos
		vs	eûtes	clos
		ils	eurent	clos

Futur simple		Futur antérieur		
je	clorai	j'	aurai	clos
tu	cloras	tu	auras	clos
il	clora	il	aura	clos
ns	clorons	ns	aurons	clos
vs	clorez	vs	aurez	clos
ils	cloront	ils	auront	clos

SUBJONCTIF

Présent		
que je	close	
que tu	closes	
qu' il	close	
que ns	closions	
que vs	closiez	
qu' ils	closent	

Imparfait		
inusité		

Passé		
que j'	aie	clos
que tu	aies	clos
qu' il	ait	clos
que ns	ayons	clos
que vs	ayez	clos
qu' ils	aient	clos

Plus-que-parfait		
que j'	eusse	clos
que tu	eusses	clos
qu' il	eût	clos
que ns	eussions	clos
que vs	eussiez	clos
qu' ils	eussent	clos

CONDITIONNEL

Présent		Passé 1re forme			Passé 2e forme		
je	clorais	j'	aurais	clos	j'	eusse	clos
tu	clorais	tu	aurais	clos	tu	eusses	clos
il	clorait	il	aurait	clos	il	eût	clos
ns	clorions	ns	aurions	clos	ns	eussions	clos
vs	cloriez	vs	auriez	clos	vs	eussiez	clos
ils	cloraient	ils	auraient	clos	ils	eussent	clos

IMPÉRATIF

Présent		Passé		
clos	*inusité*	aie clos	ayons clos	ayez clos

INFINITIF

Présent	Passé
clore	avoir clos

PARTICIPE

Présent	Passé	Passé composé
closant	clos, se	ayant clos

FAIRE

INDICATIF

Présent	Passé composé
je fais	j' ai fait
tu fais	tu as fait
il fait	il a fait
ns faisons	ns avons fait
vs faites	vs avez fait
ils font	ils ont fait

Imparfait	Plus-que-parfait
je faisais	j' avais fait
tu faisais	tu avais fait
il faisait	il avait fait
ns faisions	ns avions fait
vs faisiez	vs aviez fait
ils faisaient	ils avaient fait

Passé simple	Passé antérieur
je fis	j' eus fait
tu fis	tu eus fait
il fit	il eut fait
ns fîmes	ns eûmes fait
vs fîtes	vs eûtes fait
ils firent	ils eurent fait

Futur simple	Futur antérieur
je ferai	j' aurai fait
tu feras	tu auras fait
il fera	il aura fait
ns ferons	ns aurons fait
vs ferez	vs aurez fait
ils feront	ils auront fait

SUBJONCTIF

Présent	Imparfait
que je fasse	que je fisse
que tu fasses	que tu fisses
qu' il fasse	qu' il fît
que ns fassions	que ns fissions
que vs fassiez	que vs fissiez
qu' ils fassent	qu' ils fissent

Passé	Plus-que-parfait
que j' aie fait	que j' eusse fait
que tu aies fait	que tu eusses fait
qu' il ait fait	qu' il eût fait
que ns ayons fait	que ns eussions fait
que vs ayez fait	que vs eussiez fait
qu' ils aient fait	qu' ils eussent fait

CONDITIONNEL

Présent	Passé 1re forme	Passé 2e forme
je ferais	j' aurais fait	j' eusse fait
tu ferais	tu aurais fait	tu eusses fait
il ferait	il aurait fait	il eût fait
ns ferions	ns aurions fait	ns eussions fait
vs feriez	vs auriez fait	vs eussiez fait
ils feraient	ils auraient fait	ils eussent fait

IMPÉRATIF

Présent			Passé		
fais	faisons	faites	aie fait	ayons fait	ayez fait

INFINITIF

Présent	Passé
faire	avoir fait

PARTICIPE

Présent	Passé	Passé composé
faisant	fait, te	ayant fait

ALLER

INDICATIF

Présent
je vais
tu vas
il va
ns allons
vs allez
ils vont

Passé composé
je suis allé
tu es allé
il est allé
ns sommes allés
vs êtes allés
ils sont allés

Imparfait
j' allais
tu allais
il allait
ns allions
vs alliez
ils allaient

Plus-que-parfait
j' étais allé
tu étais allé
il était allé
ns étions allés
vs étiez allés
ils étaient allés

Passé simple
j' allai
tu allas
il alla
ns allâmes
vs allâtes
ils allèrent

Passé antérieur
je fus allé
tu fus allé
il fut allé
ns fûmes allés
vs fûtes allés
ils furent allés

Futur simple
j' irai
tu iras
il ira
ns irons
vs irez
ils iront

Futur antérieur
je serai allé
tu seras allé
il sera allé
ns serons allés
vs serez allés
ils seront allés

SUBJONCTIF

Présent
que j' aille
que tu ailles
qu' il aille
que ns allions
que vs alliez
qu' ils aillent

Imparfait
que j' allasse
que tu allasses
qu' il allât
que ns allassions
que vs allassiez
qu' ils allassent

Passé
que je sois allé
que tu sois allé
qu' il soit allé
que ns soyons allés
que vs soyez allés
qu' ils soient allés

Plus-que-parfait
que je fusse allé
que tu fusses allé
qu' il fût allé
que ns fussions allés
que vs fussiez allés
qu' ils fussent allés

CONDITIONNEL

Présent
j' irais
tu irais
il irait
ns irions
vs iriez
ils iraient

Passé 1re forme
je serais allé
tu serais allé
il serait allé
ns serions allés
vs seriez allés
ils seraient allés

Passé 2e forme
je fusse allé
tu fusses allé
il fût allé
ns fussions allés
vs fussiez allés
ils fussent allés

IMPÉRATIF

Présent
va allons allez

Passé
sois allé soyons allés soyez allés

INFINITIF

Présent
aller

Passé
être allé

PARTICIPE

Présent
allant

Passé
allé, e

Passé composé
étant allé

INDEX DES VERBES

Les nombres indiqués ici en couleur correspondent aux numéros des tableaux de conjugaison types. Les verbes en gras sont les verbes modèles.

A

abaisser	3
abandonner	3
abasourdir	20
abâtardir	20
abattre	62
abcéder (s')	9
abdiquer	3
abêtir	20
abhorrer	3
abîmer	3
abjurer	3
abolir	20
abominer	3
abonder	3
abonner	3
abonnir	20
aborder	3
aboucher	3
abouler	3
abouter	3
aboutir	20
aboyer	18
abraser	3
abréger	10
abreuver	3
abriter	3
abroger	7
abrutir	20
absenter (s')	3
absorber	3
absoudre	57
abstenir (s')	27
abstraire	69
abuser	3
acagnarder (s')	3

accabler	3
accaparer	3
accastiller	3
accéder	9
accélérer	9
accentuer	3
accepter	3
accessoiriser	3
accidenter	3
acclamer	3
acclimater	3
accointer (s')	3
accoler	3
accommoder	3
accompagner	3
accomplir	20
accorder	3
accoster	3
accoter	3
accoucher	3
accouder (s')	3
accoupler	3
accourir	25
accoutrer	3
accoutumer	3
accréditer	3
accrocher	3
accroire	67
accroître	66
accroupir (s')	20
accueillir	30
acculer	3
acculturer	3
accumuler	3
accuser	3
acérer	9
acétifier	4

achalander	3
acharner (s')	3
acheminer	3
acheter	15
achever	11
achopper	3
achromatiser	3
acidifier	4
aciduler	3
aciérer	9
acoquiner (s')	3
acquérir	28
acquiescer	6
acquitter	3
acter	3
actionner	3
activer	3
actualiser	3
adapter	3
additionner	3
adhérer	9
adjectiver	3
adjoindre	56
adjuger	7
adjurer	3
admettre	63
administrer	3
admirer	3
admonester	3
adonner (s')	3
adopter	3
adorer	3
adosser	3
adouber	3
adoucir	20
adresser	3
adsorber	3

INDEX DES VERBES

aduler	3	agencer	6	ajuster	3
adultérer	9	agenouiller (s')	3	alanguir	20
advenir	27	agglomérer	9	alarmer	3
aérer	9	agglutiner	3	alcaliniser	3
affabuler	3	aggraver	3	alcaliser	3
affadir	20	agioter	3	alcooliser	3
affaiblir	20	agir	20	alerter	3
affairer (s')	3	agiter	3	aléser	9
affaisser	3	agneler	12	aleviner	3
affaler	3	agonir	20	aliéner	9
affamer	3	agoniser	3	aligner	3
affecter	3	agrafer	3	alimenter	3
affectionner	3	agrandir	20	aliter	3
affermer	3	agréer	5	allaiter	3
affermir	20	agréger	10	allécher	9
afficher	3	agrémenter	3	alléger	10
affiler	3	agresser	3	allégoriser	3
affilier	4	agriffer (s')	3	alléguer	9
affiner	3	agripper	3	**aller**	83
affirmer	3	aguerrir	20	allier	4
affleurer	3	aguicher	3	allonger	7
affliger	7	ahaner	3	allouer	3
afflouer	3	ahurir	20	allumer	3
affluer	3	aicher	3	alluvionner	3
affoler	3	aider	3	alourdir	20
affouiller	3	aigrir	20	alpaguer	8
affour(r)ager	7	aiguiller	3	alphabétiser	3
affourcher	3	aiguilleter	14	altérer	9
affranchir	20	aiguillonner	3	alterner	3
affréter	9	aiguiser	3	aluminer	3
affriander	3	ailler	3	aluner	3
affrioler	3	aimanter	3	alunir	20
affronter	3	aimer	3	amadouer	3
affubler	3	airer	3	amaigrir	20
affurer	3	ajointer	3	amalgamer	3
affûter	3	ajourer	3	amariner	3
africaniser	3	ajourner	3	amarrer	3
agacer	6	ajouter	3	amasser	3

INDEX DES VERBES

ambitionner	3	animaliser	3	appliquer	3
ambler	3	animer	3	appointer	3
ambrer	3	ankyloser	3	apponter	3
améliorer	3	anneler	12	apporter	3
aménager	7	annexer	3	apposer	3
amender	3	annihiler	3	apprécier	4
amener	11	annoncer	6	appréhender	3
amenuiser	3	annoter	3	apprendre	53
américaniser	3	annualiser	3	apprêter	3
amerrir	20	annuler	3	apprivoiser	3
ameublir	20	anoblir	20	approcher	3
ameuter	3	anodiser	3	approfondir	20
amidonner	3	ânonner	3	approprier (s')	4
amincir	20	anonymiser	3	approuver	3
amnistier	4	anordir	20	approvisionner	3
amocher	3	antéposer	3	appuyer	17
amodier	4	anticiper	3	apurer	3
amoindrir	20	antidater	3	arabiser	3
amollir	20	apaiser	3	araser	3
amonceler	12	apercevoir	36	arbitrer	3
amorcer	6	apeurer	3	arborer	3
amortir	20	apiquer	3	arboriser	3
amouracher (s')	3	apitoyer	18	arc-bouter	3
amplifier	4	aplanir	20	architecturer	3
amputer	3	aplatir	20	archiver	3
amuïr (s')	20	apostasier	4	argenter	3
amurer	3	apostiller	3	arguer	8
amuser	3	apostropher	3	argumenter	3
analyser	3	apparaître	64	ariser	3
anastomoser	3	appareiller	3	armer	3
anathématiser	3	apparenter (s')	3	armorier	4
ancrer	3	apparier	4	arnaquer	3
anéantir	20	appartenir	27	aromatiser	3
anémier	4	appâter	3	arpéger	10
anesthésier	4	appauvrir	20	arpenter	3
anglaiser	3	**appeler**	12	arquer	3
angliciser	3	appendre	52	arracher	3
angoisser	3	appesantir	20	arraisonner	3
anhéler	9	applaudir	20	arranger	7

INDEX DES VERBES

arrenter	3	assortir	20	augmenter	3
arrérager	7	assoupir	20	augurer	3
arrêter	3	assouplir	20	auner	3
arrimer	3	assourdir	20	auréoler	3
arriser	3	assouvir	20	aurifier	4
arriver	3	assujettir	20	ausculter	3
arroger (s')	7	assumer	3	authentifier	4
arrondir	20	assurer	3	authentiquer	3
arroser	3	asticoter	3	autocensurer (s')	3
arsouiller (s')	3	astiquer	3	autodéterminer (s')	3
articuler	3	astreindre	55	autodétruire (s')	78
ascensionner	3	atermoyer	18	autofinancer (s')	6
aseptiser	3	atomiser	3	autographier	4
asperger	7	atrophier	4	autoguider	3
asphalter	3	attabler (s')	3	automatiser	3
asphyxier	4	attacher	3	autopsier	4
aspirer	3	attaquer	3	autoriser	3
assagir	20	attarder (s')	3	avachir	20
assaillir	31	atteindre	55	avaler	3
assainir	20	atteler	12	avaliser	3
assaisonner	3	attendre	52	avancer	6
assassiner	3	attendrir	20	avantager	7
assécher	9	attenter	3	avarier	4
assembler	3	atténuer	3	aventurer	3
assener	11	atterrer	3	avérer	9
asséner	9	atterrir	20	avertir	20
asseoir	40	attester	3	aveugler	3
assermenter	3	attiédir	20	aveulir	20
asservir	20	attifer	3	avilir	20
assiéger	10	attiger	7	aviner	3
assigner	3	attirer	3	aviser	3
assimiler	3	attiser	3	avitailler	3
assister	3	attraper	3	aviver	3
associer	4	attribuer	3	**avoir**	1
assoiffer	3	attrister	3	avoisiner	3
assoler	3	attrouper	3	avorter	3
assombrir	20	auditer	3	avouer	3
assommer	3	auditionner	3	avoyer	18

INDEX DES VERBES

axer 3
axiomatiser 3
azurer 3

babiller 3
bâcher 3
bachoter 3
bâcler 3
badauder 3
bader 3
badger 7
badigeonner ... 3
badiner 3
bafouer 3
bafouiller 3
bâfrer 3
bagarrer 3
baguenauder ... 3
baguer 8
baigner 3
bailler 3
bâiller 3
bâillonner 3
baiser 3
baisoter 3
baisser 3
balader 3
balafrer 3
balancer 6
balayer 16
balbutier 4
baliser 3
balkaniser 3
ballaster 3
ballonner 3
ballotter 3
bambocher 3

banaliser 3
bananer 3
bancher 3
bander 3
banner 3
bannir 20
banquer 3
banqueter 14
baptiser 3
baquer (se) ... 3
baragouiner 3
baraquer 3
baratiner 3
baratter 3
barber 3
barbifier 4
barboter 3
barbouiller 3
barder 3
barguigner 3
barioler 3
baronner 3
barouder 3
barrer 3
barricader 3
barrir 20
basaner 3
basculer 3
baser 3
bassiner 3
baster 3
bastillonner 3
bastonner 3
batailler 3
bateler 12
bâter 3
batifoler 3
bâtir 20
bâtonner 3

battre 62
bavarder 3
bavasser 3
baver 3
bavocher 3
bayer 3
bazarder 3
béatifier 4
bêcher 3
bêcheveter 14
bécoter 3
becqueter 14
becter 3
bedonner 3
béer 5
bégayer 16
bégueter 14
bêler 3
bémoliser 3
bénéficier 4
bénir 20
béqueter 14
béquiller 3
bercer 6
berner 3
besogner 3
bêtifier 4
bétonner 3
beugler 3
beurrer 3
biaiser 3
biberonner 3
bicher 3
bichonner 3
bidonner (se) .. 3
bidouiller 3
bienvenir 27
biffer 3
bifurquer 3

INDEX DES VERBES

bigarrer	3	blondir	20	bouder	3
bigler	3	blondoyer	18	boudiner	3
bigophoner	3	bloquer	3	bouffer	3
bigorner	3	blottir (se)	20	bouffir	20
biler (se)	3	blouser	3	bouffonner	3
billebauder	3	bluffer	3	bouger	7
billonner	3	bluter	3	bougonner	3
biloquer	3	bobiner	3	**bouillir**	24
biner	3	bocarder	3	bouillonner	3
biologiser	3	**boire**	79	bouillotter	3
biper	3	boiser	3	boulanger	7
biscuiter	3	boiter	3	bouler	3
biseauter	3	boitiller	3	bouleverser	3
biser	3	bombarder	3	boulocher	3
bisquer	3	bomber	3	boulonner	3
bisser	3	bondir	20	boulotter	3
bistourner	3	bondonner	3	boumer	3
bistrer	3	bonifier	4	bouquiner	3
bit(t)er	3	bonimenter	3	bourdonner	3
bitumer	3	bonir	20	bourgeonner	3
bit(t)urer (se)	3	bordéliser	3	bourlinguer	8
bivouaquer	3	border	3	bourreler	12
bizuter	3	bordurer	3	bourrer	3
blackbouler	3	borner	3	boursicoter	3
blaguer	8	bornoyer	18	boursoufler	3
blairer	3	bosseler	12	bousculer	3
blâmer	3	bosser	3	bousiller	3
blanchir	20	bossuer	3	bouter	3
blaser	3	bostonner	3	boutonner	3
blasonner	3	botaniser	3	bouturer	3
blasphémer	9	botteler	12	boxer	3
blatérer	9	botter	3	boyauter (se)	3
blêmir	20	boubouler	3	boycotter	3
bléser	9	boucaner	3	braconner	3
blesser	3	boucharder	3	brader	3
blettir	20	boucher	3	brailler	3
bleuir	20	bouchonner	3	braire	69
blinder	3	boucler	3	braiser	3

INDEX DES VERBES

bramer	3
brancarder	3
brancher	3
brandiller	3
brandir	20
branler	3
braquer	3
braser	3
brasiller	3
brasser	3
brasseyer	3
braver	3
brayer	16
bredouiller	3
brêler	3
brésiller	3
bretteler	12
breveter	14
bricoler	3
brider	3
bridger	7
briefer	3
brigander	3
briguer	8
brillanter	3
brillantiner	3
briller	3
brimbaler	3
brimer	3
brinquebaler	3
briquer	3
briqueter	14
briser	3
brocanter	3
brocarder	3
brocher	3
broder	3
bromer	3
broncher	3

bronzer	3
brosser	3
brouetter	3
brouillasser	3
brouiller	3
brouter	3
broyer	18
bruiner	3
bruire	20
bruisser	3
bruiter	3
brûler	3
brunir	20
brusquer	3
brutaliser	3
bûcher	3
bûcheronner	3
budgéter	9
budgétiser	3
buller	3
bureaucratiser	3
buriner	3
buser	3
busquer	3
buter	3
butiner	3
butter	3

C

cabaner	3
câbler	3
cabosser	3
caboter	3
cabotiner	3
cabrer	3
cabrioler	3
cacaber	3
cacarder	3

cacher	3
cacheter	14
cachetonner	3
cadancher	3
cadastrer	3
cadenasser	3
cadencer	6
cadrer	3
cafarder	3
cafouiller	3
cafter	3
cahoter	3
caillasser	3
caillebotter	3
cailler	3
caillouter	3
cajoler	3
calaminer (se)	3
calamistrer	3
calancher	3
calandrer	3
calcifier	4
calciner	3
calculer	3
caler	3
calfater	3
calfeutrer	3
calibrer	3
câliner	3
calligraphier	4
calmer	3
calmir	20
calomnier	4
calorifuger	7
calotter	3
calquer	3
calter	3
cambrer	3
cambrioler	3

INDEX DES VERBES

camer (se)	3	caractériser	3	catastropher	3
camionner	3	caramboler	3	catcher	3
camoufler	3	caraméliser	3	catéchiser	3
camper	3	carapater (se)	3	catégoriser	3
canaliser	3	carbonater	3	catir	20
canarder	3	carboniser	3	cauchemarder	3
cancaner	3	carburer	3	causaliser	3
cancériser (se)	3	carcailler	3	causer	3
candidater	3	carder	3	cautériser	3
candir	20	carencer	6	cautionner	3
caner	3	caréner	9	cavalcader	3
canneler	12	caresser	3	cavaler	3
canner	3	carguer	8	caver	3
cannibaliser	3	caricaturer	3	caviarder	3
canoniser	3	carier	4	**céder**	9
canonner	3	carillonner	3	ceindre	55
canoter	3	carnifier	4	ceinturer	3
cantiner	3	carotter	3	célébrer	9
cantonner	3	carreler	12	celer	13
canuler	3	carrer	3	cémenter	3
caoutchouter	3	carrosser	3	cendrer	3
caparaçonner	3	carroyer	18	censurer	3
capeler	12	cartelliser	3	centraliser	3
capeyer	3	carter	3	centrer	3
capitaliser	3	cartographier	4	centrifuger	7
capitonner	3	cartonner	3	centupler	3
capituler	3	cascader	3	cercler	3
caponner	3	caséifier	4	cerner	3
caporaliser	3	caser	3	certifier	4
capoter	3	caserner	3	césariser	3
capsuler	3	casquer	3	cesser	3
capter	3	casse-croûter	3	chabler	3
captiver	3	casser	3	chagriner	3
capturer	3	castagner (se)	3	chahuter	3
capuchonner	3	castrer	3	chaîner	3
caquer	3	cataloguer	8	challenger	7
caqueter	14	catalyser	3	chalouper	3
caracoler	3	catapulter	3	chaluter	3

INDEX DES VERBES

chamailler (se) ..	3
chamarrer	3
chambarder	3
chambouler	3
chambrer	3
chamoiser	3
champagniser ..	3
champlever	11
chanceler	12
chancir	20
chanfreiner	3
changer	7
chansonner	3
chanter	3
chantonner	3
chantourner ...	3
chaparder	3
chapeauter	3
chapeler	12
chaperonner ...	3
chapitrer	3
chaponner	3
chaptaliser	3
charbonner	3
charcuter	3
charger	7
charmer	3
charpenter	3
charrier	4
charroyer	18
chartériser	3
chasser	3
châtaigner	3
châtier	4
chatonner	3
chatouiller	3
chatoyer	18
châtrer	3
chatter	3

chauffer	3
chauler	3
chaumer	3
chausser	3
chauvir	20
chavirer	3
cheminer	3
chemiser	3
chercher	3
chérir	20
cherrer	3
chevaler	3
chevaucher	3
cheviller	3
chevreter	14
chevronner	3
chevroter	3
chiader	3
chialer	3
chicaner	3
chicoter	3
chienner	3
chier	4
chiffonner	3
chiffrer	3
chigner	3
chiner	3
chinoiser	3
chiper	3
chipoter	3
chiquer	3
chlinguer	8
chlorer	3
chloroformer ...	3
chlorurer	3
choir	51
choisir	20
chômer	3
choper	3

chopiner	3
chopper	3
choquer	3
chorégraphier ..	4
chosifier	4
chouchouter ...	3
chougner	3
chouiner	3
chouraver	3
choyer	18
christianiser	3
chromer	3
chroniquer	3
chronométrer ..	9
chuchoter	3
chuinter	3
chuter	3
cibler	3
cicatriser	3
ciller	3
cimenter	3
cinématographier	4
cingler	3
cintrer	3
circoncire	72
circonscrire	76
circonstancier ..	4
circonvenir	27
circulariser	3
circuler	3
cirer	3
cisailler	3
ciseler	13
citer	3
civiliser	3
clabauder	3
claboter	3
claironner	3
clamecer	3

INDEX DES VERBES

clamer	3	coasser	3	coltiner	3
clamper	3	cocher	3	combattre	62
clamser	3	côcher	3	combiner	3
clapoter	3	cochonner	3	combler	3
clapper	3	cocooner	3	commander	3
claquemurer	3	cocot(t)er	3	commanditer	3
claquer	3	cocufier	4	commémorer	3
claqueter	14	coder	3	commencer	6
clarifier	4	codifier	4	commenter	3
classer	3	coéditer	3	commercer	6
classifier	4	coexister	3	commercialiser	3
claudiquer	3	coffrer	3	commettre	63
claustrer	3	cogiter	3	commissionner	3
claveter	14	cogner	3	commotionner	3
clayonner	3	cohabiter	3	commuer	3
cléricaliser	3	cohériter	3	communaliser	3
cligner	3	coiffer	3	communautariser	3
clignoter	3	coincer	6	communier	4
climatiser	3	coincher	3	communiquer	3
cliquer	3	coïncider	3	commuter	3
cliqueter	14	coïter	3	compacter	3
clisser	3	cokéfier	4	comparaître	64
cliver	3	collaborer	3	comparer	3
clochardiser	3	collapser	3	compartimenter	3
clocher	3	collationner	3	compasser	3
cloisonner	3	collecter	3	compatir	20
cloîtrer	3	collectionner	3	compenser	3
cloner	3	collectiviser	3	compéter	9
cloper	3	coller	3	compiler	3
clopiner	3	colleter (se)	14	compisser	3
cloquer	3	colliger	7	complaire	68
clore	81	colloquer	3	compléter	9
clôturer	3	colmater	3	complexer	3
clouer	3	coloniser	3	complexifier	4
clouter	3	colorer	3	complimenter	3
coacher	3	colorier	4	compliquer	3
coaguler	3	coloriser	3	comploter	3
coaliser	3	colporter	3	comporter	3

INDEX DES VERBES

composer 3
composter 3
comprendre 53
compresser 3
comprimer 3
compromettre .. 63
comptabiliser .. 3
compter 3
compulser 3
concasser 3
concéder 9
concélébrer 9
concentrer 3
conceptualiser .. 3
concerner 3
concerter 3
concevoir 36
concilier 4
conclure 80
concocter 3
concorder 3
concourir 25
concréter 9
concrétiser 3
concurrencer ... 6
condamner 3
condenser 3
condescendre .. 52
conditionner ... 3
conduire 78
confectionner .. 3
confédérer 9
conférer 9
confesser 3
confier 4
configurer 3
confiner 3
confire 72
confirmer 3

confisquer 3
confluer 3
confondre 52
conformer 3
conforter 3
confronter 3
congédier 4
congeler 13
congestionner .. 3
conglomérer ... 9
conglutiner 3
congratuler 3
congréer 5
conjecturer 3
conjoindre 56
conjuguer 8
conjurer 3
connaître 64
connecter 3
connoter 3
conquérir 28
consacrer 3
conscientiser ... 3
conseiller 3
consentir 22
conserver 3
considérer 9
consigner 3
consister 3
consoler 3
consolider 3
consommer 3
consoner 3
conspirer 3
conspuer 3
constater 3
consteller 3
consterner 3
constiper 3

constituer 3
constitutionnaliser 3
construire 78
consulter 3
consumer 3
contacter 3
contaminer 3
contempler 3
conteneuriser .. 3
contenir 27
contenter 3
conter 3
contester 3
contextualiser .. 3
contingenter ... 3
continuer 3
contorsionner (se) 3
contourner 3
contracter 3
contractualiser .. 3
contracturer ... 3
contraindre 54
contrarier 4
contraster 3
contre-attaquer . 3
contrebalancer . 6
contrebraquer .. 3
contrebuter 3
contrecarrer ... 3
contrecoller 3
contredire 73
contrefaire 82
contreficher (se) .. 3
contrefoutre (se) .. 62
contre-indiquer .. 3
contre-manifester 3
contre-passer .. 3
contre-plaquer .. 3
contrer 3

INDEX DES VERBES

contresigner ... 3	cornaquer 3	courser 3
contrevenir ... 27	corner 3	courtauder 3
contreventer ... 3	correctionnaliser 3	court-circuiter . 3
contribuer 3	corréler 9	courtiser 3
contrister 3	correspondre ... 52	cousiner 3
contrôler 3	corriger 7	coûter 3
controverser ... 3	corroborer 3	couver 3
contusionner ... 3	corroder 3	couvrir 29
convaincre 61	corrompre 60	craboter 3
convenir 27	corroyer 18	cracher 3
conventionner .. 3	corser 3	crachiner 3
converger 7	corseter 15	crachoter 3
converser 3	cosigner 3	crailler 3
convertir 20	costumer 3	**craindre** 54
convier 4	coter 3	cramer 3
convivialiser 3	cotir 20	cramponner 3
convoiter 3	cotiser 3	crâner 3
convoler 3	cotonner (se) .. 3	cranter 3
convoquer 3	côtoyer 18	crapahuter 3
convoyer 18	couchailler 3	crapuler 3
convulser 3	coucher 3	craqueler 12
convulsionner .. 3	couder 3	craquer 3
coopérer 9	coudoyer 18	craqueter 14
coopter 3	**coudre** 58	crasher (se) 3
coordonner 3	couillonner 3	cravacher 3
copartager 7	couiner 3	cravater 3
coparticiper 3	couler 3	crawler 3
copermuter 3	coulisser 3	crayonner 3
copier 4	coupailler 3	crécher 9
copiner 3	coupeller 3	crédibiliser 3
coposséder 9	couper 3	créditer 3
coprésider 3	coupler 3	**créer** 5
coproduire 78	courailler 3	crémer 9
copuler 3	courbaturer 3	créneler 12
coqueter 14	courber 3	créoliser (se) ... 3
cordeler 12	**courir** 25	crêper 3
corder 3	couronner 3	crépir 20
cordonner 3	courroucer 6	crépiter 3

INDEX DES VERBES

crétiniser 3
creuser 3
crevasser 3
crever 11
criailler 3
cribler 3
crier 4
criminaliser 3
criquer 3
crisper 3
crisser 3
cristalliser 3
criticailler 3
critiquer 3
croasser 3
crocher 3
crocheter 15
croire 67
croiser 3
croître 66
croquer 3
crosser 3
crotter 3
crouler 3
croupir 20
croustiller 3
croûter 3
crucifier 4
crypter 3
cryptographier .. 4
cuber 3
cueillir 30
cuirasser 3
cuire 78
cuisiner 3
cuiter (se) 3
cuivrer 3
culbuter 3
culer 3

culminer 3
culotter 3
culpabiliser 3
cultiver 3
cumuler 3
curer 3
cureter 14
cuveler 12
cuver 3
cyanoser 3
cyanurer 3
cylindrer 3

D

dactylographier 4
daguer 8
daigner 3
daller 3
damasquiner ... 3
damasser 3
damer 3
damner 3
dandiner 3
danser 3
dansot(t)er 3
darder 3
dater 3
dauber 3
dealer 3
déambuler 3
débâcher 3
débâcler 3
débagouler 3
débâillonner ... 3
déballer 3
déballonner (se).. 3
débanaliser 3
débander 3

débaptiser 3
débarbouiller ... 3
débarder 3
débarquer 3
débarrasser 3
débâter 3
débâtir 20
débattre 62
débaucher 3
débecqueter ... 14
débecter 3
débiliter 3
débillarder 3
débiner 3
débiter 3
déblatérer 9
déblayer 16
débloquer 8
débobiner 3
déboguer 3
déboiser 3
déboîter 3
débonder 3
déborder 3
débosseler 12
débotter 3
déboucher 3
déboucler 3
débouler 3
déboulonner ... 3
débouquer 3
débourber 3
débourrer 3
débourser 3
déboussoler 3
débouter 3
déboutonner ... 3
débrailler (se) ... 3
débrancher 3

INDEX DES VERBES

débrayer 16
débrider 3
débrocher 3
débronzer 3
débrouiller 3
débroussailler .. 3
débucher 3
débudgétiser ... 3
débureaucratiser 3
débusquer 3
débuter 3
décacheter 14
décadenasser ... 3
décaféiner 3
décaisser 3
décalaminer 3
décalcifier 4
décaler 3
décalotter 3
décalquer 3
décamper 3
décaniller 3
décanter 3
décapeler 12
décaper 3
décapitaliser ... 3
décapiter 3
décapoter 3
décapsuler 3
décapuchonner 3
décarbonater ... 3
décarburer 3
décarcasser (se) 3
décarreler 12
décarrer 3
décatir 20
décauser 3
décavaillonner .. 3

décaver 3
décéder 9
déceler 13
décélérer 9
décentraliser ... 3
décentrer 3
décercler 3
décérébrer 9
décerner 3
décerveler 12
décevoir 36
déchaîner 3
déchanter 3
décharger 7
décharner 3
déchaumer 3
déchausser 3
déchiffonner ... 3
déchiffrer 3
déchiqueter 14
déchirer 3
déchlorurer 3
déchoir 51
déchristianiser .. 3
décider 3
décimaliser 3
décimer 3
décintrer 3
déclamer 3
déclarer 3
déclasser 3
déclassifier 4
déclaveter 14
déclencher 3
décléricaliser ... 3
décliner 3
décliqueter 14
décloisonner ... 3

déclore 81
déclouer 3
décocher 3
décoder 3
décoffrer 3
décoiffer 3
décoincer 6
décolérer 9
décollectiviser .. 3
décoller 3
décolleter 14
décoloniser 3
décolorer 3
décommander .. 3
décompenser .. 3
décomplexer ... 3
décomposer 3
décompresser .. 3
décomprimer .. 3
décompter 3
déconcentrer .. 3
déconcerter ... 3
déconditionner .. 3
déconfire 72
décongeler 13
décongestionner 3
déconnecter ... 3
déconner 3
déconseiller 3
déconsidérer ... 9
déconsigner 3
déconstruire ... 78
décontaminer .. 3
décontenancer .. 6
décontextualiser 3
décontracter ... 3
déconventionner 3
décorder 3

INDEX DES VERBES

décorer	3	dédire	73	défoncer	6
décorner	3	dédommager	7	déforcer	6
décortiquer	3	dédorer	3	déforester	3
découcher	3	dédouaner	3	déformer	3
découdre	58	dédoubler	3	défouler (se)	3
découler	3	dédramatiser	3	défourailler	3
découper	3	déduire	78	défourner	3
découpler	3	défaillir	31	défraîchir	20
décourager	7	défaire	82	défrayer	16
découronner	3	défalquer	3	défricher	3
découvrir	29	défarder	3	défriper	3
décramponner	3	défatiguer	8	défriser	3
décrasser	3	défaufiler	3	défroisser	3
décrédibiliser	3	défausser	3	défroncer	6
décrêper	3	défavoriser	3	défroquer	3
décrépir	20	déféminiser	3	défruiter	3
décréter	9	défendre	52	dégager	7
décreuser	3	défenestrer	3	dégainer	3
décrier	4	déféquer	9	déganter	3
décrire	76	déférer	9	dégarnir	20
décrisper	3	déferler	3	dégauchir	20
décrocher	3	déferrer	3	dégazer	3
décroiser	3	défeuiller	3	dégazoliner	3
décroître	66	défeutrer	3	dégazonner	3
décrotter	3	défibrer	3	dégeler	13
décroûter	3	défibriliser	3	dégénérer	9
décruer	3	déficeler	12	dégermer	3
décruser	3	défier	4	dégingander (se)	3
décrypter	3	défier (se)	4	dégivrer	3
décuivrer	3	défigurer	3	déglacer	6
déculasser	3	défiler	3	déglinguer	8
déculotter	3	définir	20	déglutir	20
déculpabiliser	3	défiscaliser	3	dégobiller	3
décupler	3	déflagrer	3	dégoiser	3
décuver	3	défléchir	20	dégommer	3
dédaigner	3	défleurir	20	dégonder	3
dédicacer	6	défloquer	3	dégonfler	3
dédier	4	déflorer	3	dégorger	7
dédifférencier (se)	4	défolier	4	dégoter	3

INDEX DES VERBES

dégoudronner ..	3	délainer	3	démastiquer ...	3
dégouliner	3	délaisser	3	démâter	3
dégoupiller	3	délaiter	3	dématérialiser ..	3
dégourdir	20	délarder	3	démazouter	3
dégoûter	3	délasser	3	démédicaliser ..	3
dégoutter	3	délaver	3	démêler	3
dégrader	3	délayer	16	démembrer	3
dégrafer	3	délecter (se) ...	3	déménager	7
dégraisser	3	délégitimer	3	démener (se) ...	11
dégravoyer	18	déléguer	8	démentir	22
dégréer	5	délester	3	démerder (se) ..	3
dégrever	11	délibérer	9	démériter	3
dégriffer	3	délier	4	démettre	63
dégringoler	3	délimiter	3	démeubler	3
dégripper	3	délinéer	5	demeurer	3
dégriser	3	délirer	3	démieller	3
dégrossir	20	déliter	3	démilitariser ...	3
dégrouiller (se) ..	3	délivrer	3	déminer	3
dégrouper	3	délocaliser	3	déminéraliser ..	3
déguerpir	20	déloger	7	démissionner ...	3
déguiser	3	délurer	3	démobiliser	3
dégurgiter	3	délustrer	3	démocratiser ...	3
déguster	3	déluter	3	démoder (se) ...	3
déhaler	3	démagnétiser ..	3	démoduler	3
déhancher (se) ..	3	démaigrir	20	démolir	20
déharnacher ...	3	démailler	3	démonétiser ...	3
déhotter	3	démailloter	3	démonter	3
déifier	4	démancher	3	démontrer	3
déjanter	3	demander	3	démoraliser	3
déjauger	7	démanger	7	démordre	52
déjeter	14	démanteler	13	démotiver	3
déjeuner	3	démantibuler ..	3	démoucheter ..	14
déjouer	3	démaquiller	3	démouler	3
déjucher	3	démarcher	3	démoustiquer ..	3
déjuger (se)	7	démarier	4	démultiplier ...	4
délabialiser	3	démarquer	3	démunir	20
délabrer (se) ...	3	démarrer	3	démurer........	3
délabyrinther ..	3	démascler	3	démuseler	12
délacer	6	démasquer	3	démutiser	3

INDEX DES VERBES

démyéliniser	3	déparler	3	déplumer	3
démystifier	4	départager	7	dépoétiser	3
démythifier	4	départementaliser	3	dépointer	3
dénasaliser	3	départir	22	dépoitrailler	3
dénationaliser	3	dépasser	3	dépolariser	3
dénatter	3	dépassionner	3	dépolir	20
dénaturaliser	3	dépatouiller (se)	3	dépolitiser	3
dénaturer	3	dépaver	3	dépolluer	3
dénazifier	4	dépayser	3	dépolymériser	3
dénébuler	3	dépêcher	3	déporter	3
déneiger	7	dépeigner	3	déposer	3
dénerver	3	dépeindre	55	déposséder	9
déniaiser	3	dépelotonner	3	dépoter	3
dénicher	3	dépénaliser	3	dépoudrer	3
dénicotiniser	3	dépendre	52	dépouiller	3
dénier	4	dépenser	3	dépourvoir	39
dénigrer	3	dépérir	20	dépoussiérer	9
dénitrifier	4	dépersonnaliser	3	dépraver	3
déniveler	12	dépêtrer	3	déprécier	4
dénombrer	3	dépeupler	3	déprendre (se)	53
dénommer	3	déphaser	3	dépressuriser	3
dénoncer	6	déphosphorer	3	déprimer	3
dénoter	3	dépiauter	3	dépriser	3
dénouer	3	dépierrer	3	déprogrammer	3
dénoyauter	3	dépigmenter	3	dépuceler	12
densifier	4	dépiler	3	dépulper	3
denteler	12	dépiquer	3	dépurer	3
dénucléariser	3	dépister	3	députer	3
dénuder	3	dépiter	3	déqualifier	4
dénuer (se)	3	déplacer	6	déquiller	3
dépailler	3	déplafonner	3	déraciner	3
dépalisser	3	déplaire	68	dérader	3
dépanner	3	déplanter	3	dérager	7
dépaqueter	14	déplâtrer	3	dérailler	3
déparaffiner	3	déplier	4	déraisonner	3
déparasiter	3	déplisser	3	déramer	3
dépareiller	3	déplomber	3	déranger	7
déparer	3	déplorer	3	déraper	3
déparier	4	déployer	18	déraser	3

INDEX DES VERBES

dératiser	3
dérayer	16
déréaliser	3
déréférencer	6
déréglementer	3
dérégler	9
déréguler	3
dérembourser	3
déresponsabiliser	3
dérider	3
dériver	3
dériveter	14
dérober	3
dérocher	3
déroger	7
dérougir	20
dérouiller	3
dérouler	3
dérouter	3
désabonner	3
désabuser	3
désaccentuer	3
désacclimater	3
désaccorder	3
désaccoupler	3
désaccoutumer	3
désacidifier	4
désacraliser	3
désactiver	3
désadapter	3
désaérer	9
désaffecter	3
désaffectionner (se)	3
désaffilier	4
désagrafer	3
désagréger	10
désaimanter	3
désaisonnaliser	3
désajuster	3

désaliéner	9
désaligner	3
désalper	3
désaltérer	9
désambiguïser	3
désamianter	3
désamidonner	3
désaminer	3
désamorcer	6
désannexer	3
désaper	3
désapparier	4
désappointer	3
désapprendre	53
désapprouver	3
désapprovisionner	3
désarçonner	3
désargenter	3
désarmer	3
désarrimer	3
désarticuler	3
désassembler	3
désassimiler	3
désassortir	20
désatelliser	3
désatomiser	3
désavantager	7
désavouer	3
désaxer	3
desceller	3
descendre	52
déscolariser	3
déséchouer	3
désectoriser	3
desembobiner	3
désembourber	3
désembourgeoiser	3
désembouteiller	3
désembuer	3

désemmancher	3
désemparer	3
désemplir	20
désencadrer	3
désenchaîner	3
désenchanter	3
désenclaver	3
désencombrer	3
désencrasser	3
désendetter (se)	3
desénerver	3
désenfler	3
désenfumer	3
désengager	7
désengluer	3
désengorger	7
désengourdir	20
désengrener	11
désenivrer	3
désennuyer	17
désenrayer	16
désensabler	3
désensibiliser	3
désensorceler	12
désentoiler	3
désentortiller	3
désentraver	3
désenvaser	3
désenvenimer	3
désenverguer	8
désenvoûter	3
désépaissir	20
déséquilibrer	3
déséquiper	3
déserter	3
désertifier (se)	4
désespérer	9
désétatiser	3
désexciter	3

INDEX DES VERBES

désexualiser 3
déshabiller 3
déshabituer 3
désherber 3
déshériter 3
déshonorer 3
déshuiler 3
déshumaniser .. 3
déshydrater 3
déshydrogéner .. 9
déshypothéquer 9
désigner 3
désillusionner .. 3
désincarcérer ... 9
désincarner ... 3
désincorporer... 3
désincruster 3
désindexer 3
désindustrialiser 3
désinfecter 3
désinformer 3
désinhiber...... 3
désinsectiser ... 3
désintégrer 9
désintéresser ... 3
désintoxiquer .. 3
désinvestir 20
désirer 3
désister (se) 3
désobéir 20
désobliger 7
désobstruer 3
désocialiser..... 3
désodoriser 3
désoler 3
désolidariser ... 3
désoperculer ... 3
désopiler 3
désorbiter 3

désorganiser ... 3
désorienter 3
désosser 3
désoxyder 3
désoxygéner.... 9
desquamer 3
dessabler 3
dessaisir 20
dessaler 3
dessangler 3
dessaouler...... 3
dessaper 3
dessécher 9
desseller 3
desserrer 3
dessertir 20
desservir 22
dessiller 3
dessiner 3
dessoler 3
dessouder 3
dessoûler 3
dessuinter 3
déstabiliser 3
déstaliniser 3
destiner 3
destituer 3
déstocker 3
déstresser 3
déstructurer ... 3
désulfurer 3
désunir 20
désurbaniser.... 3
désynchroniser .. 3
désyndicaliser (se) 3
détacher 3
détailler 3
détaler 3
détapisser 3

détartrer 3
détaxer 3
détecter 3
déteindre 55
dételer 12
détendre 52
détenir 27
déterger 7
détériorer 3
déterminer 3
déterrer 3
détester 3
détirer 3
détoner 3
détonner 3
détordre 52
détortiller 3
détourer 3
détourner 3
détracter 3
détraquer 3
détremper 3
détricoter 3
détromper 3
détrôner 3
détroquer 3
détrousser 3
détruire 78
dévaler 3
dévaliser 3
dévaloriser 3
dévaluer 3
devancer 6
dévaser 3
dévaster 3
développer 3
devenir 27
déventer 3
dévergonder (se) 3

INDEX DES VERBES

déverguer	8	digitaliser	3	disséquer	9
dévernir	20	digresser	3	disserter	3
déverrouiller	3	dilacérer	9	dissimuler	3
déverser	3	dilapider	3	dissiper	3
dévêtir	23	dilater	3	dissocier	4
dévider	3	diligenter	3	dissoner	3
dévier	4	diluer	3	dissoudre	57
deviner	3	dimensionner	3	dissuader	3
dévirer	3	diminuer	3	distancer	6
dévirginiser	3	dîner	3	distancier (se)	4
déviriliser	3	dinguer	8	distendre	52
dévisager	7	diphtonguer	8	distiller	3
deviser	3	diplômer	3	distinguer	8
dévisser	3	**dire**	73	distordre	52
dévitaliser	3	diriger	7	distraire	69
dévitrifier	4	discerner	3	distribuer	3
dévoiler	3	discipliner	3	divaguer	8
devoir	43	discontinuer	3	diverger	7
dévolter	3	disconvenir	27	diversifier	4
dévorer	3	discorder	3	divertir	20
dévouer	3	discourir	25	diviniser	3
dévoyer	18	discréditer	3	diviser	3
dézinguer	8	discriminer	3	divorcer	6
diaboliser	3	disculper	3	divulguer	8
diagnostiquer	3	discutailler	3	documenter	3
dialoguer	8	discuter	3	dodeliner	3
dialyser	3	disgracier	4	dogmatiser	3
diamanter	3	disjoindre	56	doigter	3
diaphragmer	3	disjoncter	3	doler	3
diaprer	3	disloquer	3	domestiquer	3
dicter	3	disparaître	64	domicilier	4
diéser	9	dispatcher	3	dominer	3
diffamer	3	dispenser	3	dompter	3
différencier	4	disperser	3	donner	3
différentier	4	disposer	3	doper	3
différer	9	disputailler	3	dorer	3
diffracter	3	disputer	3	dorloter	3
diffuser	3	disqualifier	4	**dormir**	22
digérer	9	disséminer	3	doser	3

INDEX DES VERBES

doter 3
double-cliquer .. 3
doubler 3
doublonner..... 3
doucher 3
doucir 20
douer 3
douiller......... 3
douter 3
dragéifier....... 4
drageonner 3
draguer 8
drainer 3
dramatiser 3
draper 3
drayer 16
dresser......... 3
dribbler 3
driver 3
droguer 8
droper 3
drosser 3
duper 3
dupliquer....... 3
durcir 20
durer 3
duveter (se) 14
dynamiser 3
dynamiter 3

ébahir 20
ébarber 3
ébattre (s') 62
ébaucher 3
ébaudir 20
éberluer 3

éblouir 20
éborgner 3
ébouillanter 3
ébouler 3
ébourgeonner .. 3
ébouriffer 3
ébourrer 3
ébouter 3
ébrancher 3
ébranler 3
ébraser 3
ébrécher 9
ébrouer (s') ... 3
ébruiter 3
écacher........ 3
écailler 3
écaler 3
écanguer 8
écarquiller 3
écarteler 13
écarter 3
échafauder 3
échalasser 3
échancrer 3
échanger 7
échantillonner .. 3
échapper 3
échardonner ... 3
écharner 3
écharper 3
échauder 3
échauffer 3
échelonner 3
écheniller 3
écheveler 12
échiner (s') 3
échoir 51
échopper 3
échouer........ 3

écimer 3
éclabousser 3
éclaircir 20
éclairer 3
éclater 3
éclipser 3
éclisser 3
éclore 81
écluser 3
écobuer 3
écœurer 3
éconduire 78
économiser 3
écoper 3
écorcer 6
écorcher 3
écorner 3
écornifler 3
écosser 3
écouler 3
écourter 3
écouter 3
écouvillonner .. 3
écrabouiller 3
écraser 3
écrémer 9
écrêter 3
écrier (s') 4
écrire 76
écrivailler 3
écrouer 3
écrouir 20
écrouler (s') 3
écroûter 3
écuisser 3
écumer 3
écurer 3
écussonner 3
édenter 3

125

INDEX DES VERBES

édicter	3	élaborer	3	embobeliner	3
édifier	4	élaguer	8	embobiner	3
éditer	3	élancer	6	emboîter	3
éditionner	3	élargir	20	embosser	3
édulcorer	3	électrifier	4	emboucher	3
éduquer	3	électriser	3	embouquer	3
éfaufiler	3	électrocuter	3	embourber	3
effacer	6	électrolyser	3	embourgeoiser	3
effarer	3	élégir	20	embouteiller	3
effaroucher	3	élever	11	emboutir	3
effectuer	3	élider	3	emboutir	20
efféminer	3	élimer	3	embrancher	3
effeuiller	3	éliminer	3	embraquer	3
effiler	3	élinguer	8	embraser	3
effilocher	3	élire	75	embrasser	3
effleurer	3	éloigner	3	embrayer	16
effleurir	20	élonger	7	embrever	11
effondrer	3	élucider	3	embrigader	3
efforcer (s')	6	élucubrer	3	embringuer	8
effranger	7	éluder	3	embrocher	3
effrayer	16	éluer	3	embroncher	3
effriter	3	émacier	4	embrouiller	3
égailler (s')	3	émailler	3	embroussailler	3
égaler	3	émanciper	3	embrumer	3
égaliser	3	émaner	3	embuer	3
égarer	3	émarger	7	embusquer	3
égayer	16	émasculer	3	émécher	9
égorger	7	emballer	3	émerger	7
égosiller (s')	3	embarbouiller	3	émeriser	3
égoutter	3	embarquer	3	émerveiller	3
égrainer	3	embarrasser	3	émettre	63
égrapper	3	embarrer	3	émietter	3
égratigner	3	embastiller	3	émigrer	3
égrener	11	embaucher	3	émincer	6
égriser	3	embaumer	3	emmagasiner	3
égruger	7	embellir	20	emmailloter	3
égueuler	3	emberlificoter	3	emmancher	3
éjaculer	3	embêter	3	emmêler	3
éjecter	3	emblaver	3	emménager	7

INDEX DES VERBES

emmener	11
emmerder	3
emmieller	3
emmitoufler	3
emmouscailler	3
emmurer	3
émonder	3
émorfiler	3
émotionner	3
émotter	3
émousser	3
émoustiller	3
émouvoir	48
empailler	3
empaler	3
empanner	3
empapilloter	3
empaqueter	14
emparer (s')	3
empâter	3
empatter	3
empaumer	3
empêcher	3
empenner	3
emperler	3
empeser	11
empester	3
empêtrer	3
empierrer	3
empiéter	9
empiffrer (s')	3
empiler	3
empirer	3
emplafonner	3
emplâtrer	3
emplir	20
employer	18
empocher	3
empoigner	3

empoisonner	3
empoissonner	3
emporter	3
empoter	3
empourprer	3
empoussiérer	9
empreindre	55
empresser (s')	3
emprésurer	3
emprisonner	3
emprunter	3
empuantir	20
émulsifier	4
émulsionner	3
énamourer (s')	3
encabaner	3
encadrer	3
encager	7
encagouler	3
encaisser	3
encanailler (s')	3
encapuchonner	3
encaquer	3
encarter	3
encaserner	3
encasteler (s')	13
encastrer	3
encaustiquer	3
encaver	3
enceindre	55
encenser	3
encercler	3
enchaîner	3
enchanter	3
enchâsser	3
enchatonner	3
enchausser	3
enchemiser	3
enchérir	20

enchevaucher	3
enchevêtrer	3
enclaver	3
enclencher	3
encliqueter	14
enclore	81
enclouer	3
encocher	3
encoder	3
encoller	3
encombrer	3
encorder (s')	3
encorner	3
encourager	7
encourir	25
encrasser	3
encrer	3
encroûter	3
encuver	3
endetter	3
endeuiller	3
endêver	3
endiabler	3
endiguer	8
endimancher (s')	3
endoctriner	3
endolorir	20
endommager	7
endormir	22
endosser	3
enduire	78
endurcir	20
endurer	3
énerver	3
enfaîter	3
enfanter	3
enfariner	3
enfermer	3
enferrer	3

INDEX DES VERBES

enfieller	3	enjoindre	56	ensemencer	6
enfiévrer	9	enjôler	3	enserrer	3
enfiler	3	enjoliver	3	ensevelir	20
enflammer	3	enkyster (s')	3	ensiler	3
enfler	3	enlacer	6	ensoleiller	3
enfleurer	3	enlaidir	20	ensorceler	12
enfoncer	6	enlever	11	ensuivre (s')	70
enfouir	20	enliasser	3	entabler	3
enfourcher	3	enlier	4	entacher	3
enfourner	3	enliser	3	entailler	3
enfreindre	55	enluminer	3	entamer	3
enfuir (s')	33	ennoblir	20	entartrer	3
enfumer	3	ennuager	7	entasser	3
enfûter	3	ennuyer	17	entendre	52
engager	7	énoncer	6	enténébrer	9
engainer	3	enorgueillir	20	enter	3
engazonner	3	énouer	3	entériner	3
engendrer	3	enquérir (s')	28	enterrer	3
englober	3	enquêter	3	entêter	3
engloutir	20	enquiquiner	3	enthousiasmer	3
engluer	3	enraciner	3	enticher	3
engober	3	enrager	7	entoiler	3
engommer	3	enrayer	16	entôler	3
engoncer	6	enrégimenter	3	entonner	3
engorger	7	enregistrer	3	entortiller	3
engouer (s')	3	enrésiner	3	entourer	3
engouffrer	3	enrhumer	3	entraider (s')	3
engourdir	20	enrichir	20	entraîner	3
engraisser	3	enrober	3	entrapercevoir	36
engranger	7	enrocher	3	entraver	3
engraver	3	enrôler	3	entrebâiller	3
engrener	11	enrouer	3	entrechoquer	3
engrosser	3	enrouler	3	entrecouper	3
engueuler	3	enrubanner	3	entrecroiser	3
enguirlander	3	ensabler	3	entredéchirer (s')	3
enhardir	20	ensacher	3	entredétruire (s')	78
enherber	3	ensanglanter	3	entredévorer (s')	3
enivrer	3	ensauvager	7	entrégorger (s')	7
enjamber	3	enseigner	3	entrelacer	6

INDEX DES VERBES

entrelarder 3
entremêler 3
entremettre (s') 63
entrenuire (s') .. 78
entreposer 3
entreprendre ... 53
entrer 3
entreregarder (s') 3
entretailler (s').. 3
entretenir 27
entretoiser 3
entretuer (s') ... 3
entrevoir 37
entrevoûter 3
entrouvrir 29
entuber 3
énucléer 5
énumérer 9
envahir 20
envaser 3
envelopper 3
envenimer 3
enverguer 8
envier 4
environner 3
envisager 7
envoiler (s') 3
envoler (s') 3
envoûter 3
envoyer 19
épaissir 20
épamprer 3
épancher 3
épandre 52
épanneler 12
épanouir 20
épargner 3
éparpiller 3
épater 3

épaufrer 3
épauler 3
épeler 12
épépiner 3
éperonner 3
épeurer 3
épicer 6
épier 4
épierrer 3
épiler 3
épiloguer 8
épincer 6
épinceter 14
épiner 3
épingler 3
épisser 3
éployer 18
éplucher 3
épointer 3
éponger 7
épontiller 3
épouiller 3
époumoner (s') . 3
épouser 3
épousseter 14
époustoufler ... 3
époutir 20
épouvanter 3
éprendre (s') ... 53
éprouver 3
épucer 6
épuiser 3
épurer 3
équarrir 20
équerrer 3
équeuter 3
équilibrer 3
équiper 3
équivaloir 46

éradiquer 3
érafler 3
érailler 3
éreinter 3
ergoter 3
ériger 7
éroder 3
érotiser 3
errer 3
éructer 3
esbigner (s') ... 3
esbroufer 3
escalader 3
escamoter 3
esclaffer (s') ... 3
esclavager 7
escompter 3
escorter 3
escrimer (s') ... 3
escroquer 3
espacer 6
espérer 9
espionner 3
esquicher 3
esquinter 3
esquisser 3
esquiver 3
essaimer 3
essarter 3
essayer 16
essorer 3
essoriller 3
essoucher 3
essouffler 3
essuyer 17
estamper 3
estampiller 3
ester 3
estérifier 4

INDEX DES VERBES

estimer	3	étrangler	3	excéder	9
estiver	3	**être**	2	exceller	3
estomaquer	3	étrécir	20	excentrer	3
estomper	3	étreindre	55	excepter	3
estoquer	3	étrenner	3	exciper	3
estourbir	20	étrésillonner	3	exciser	3
estrapasser	3	étriller	3	exciter	3
estropier	4	étriper	3	exclamer (s')	3
établir	20	étriquer	3	exclure	80
étager	7	étronçonner	3	excommunier	4
étalager	7	étudier	4	excorier	4
étaler	3	étuver	3	excréter	9
étalinguer	8	euphoriser	3	excursionner	3
étalonner	3	européaniser	4	excuser	3
étamer	3	euthanasier	3	exécrer	9
étamper	3	évacuer	3	exécuter	3
étancher	3	évader (s')	3	exemplifier	4
étançonner	3	évaluer	3	exempter	3
étarquer	3	évangéliser	3	exercer	6
étatiser	3	évanouir (s')	20	exfolier	4
étayer	16	évaporer	3	exhaler	3
éteindre	55	évaser	3	exhausser	3
étendre	52	éveiller	3	exhéréder	9
éterniser	3	éventer	3	exhiber	3
éternuer	3	éventrer	3	exhorter	3
étêter	3	évertuer (s')	3	exhumer	3
éthérifier	4	évider	3	exiger	7
éthériser	3	évincer	6	exiler	3
ethniciser	3	éviscérer	9	exister	3
étinceler	12	éviter	3	exonder (s')	3
étioler	3	évoluer	3	exonérer	9
étiqueter	14	évoquer	3	exorciser	3
étirer	3	exacerber	3	expatrier	4
étoffer	3	exagérer	9	expectorer	3
étoiler	3	exalter	3	expédier	4
étonner	3	examiner	3	expérimenter	3
étouffer	3	exaspérer	9	expertiser	3
étouper	3	exaucer	6	expier	4
étourdir	20	excaver	3	expirer	3

INDEX DES VERBES

explicter 3
expliquer 3
exploiter 3
explorer 3
exploser 3
exporter 3
exposer 3
exprimer 3
exproprier 4
expulser 3
expurger 7
exsuder 3
extasier (s') 4
exténuer 3
extérioriser 3
exterminer 3
externaliser..... 3
externer 3
extirper 3
extorquer 3
extrader 3
extraire 69
extrapoler 3
extravaguer..... 8
extravaser (s') .. 3
extuber......... 3
exulcérer 9
exulter 3

fabriquer 3
fabuler 3
facetter 3
fâcher 3
faciliter 3
façonner 3
factoriser 3
facturer 3

fader 3
fagoter 3
faiblir 20
failler (se) 3
faillir 32
fainéanter 3
faire 82
faisander 3
falloir 49
falsifier 4
familiariser 3
fanatiser 3
faner 3
fanfaronner 3
fantasmer 3
farcir 20
farder 3
farfouiller 3
fariner 3
farter 3
fasciner 3
fasciser 3
faseiller 3
faseyer 3
fatiguer 8
faucarder 3
faucher 3
faufiler 3
fausser 3
fauter 3
favoriser 3
faxer 3
fayot(t)er 3
féconder 3
féculer 3
fédéraliser 3
fédérer 9
feindre 55
feinter 3

fêler 3
féliciter 3
féminiser 3
fendiller 3
fendre 52
fenêtrer 3
ferler 3
fermenter 3
fermer 3
ferrailler 3
ferrer 3
ferrouter 3
fertiliser 3
fesser 3
festonner 3
festoyer 18
fêter 3
feuiller 3
feuilleter 14
feuler 3
feutrer 3
fiabiliser 3
fiancer 6
ficeler 12
ficher 3
fidéliser 3
fienter 3
fier (se) 4
figer 7
fignoler 3
figurer 3
filer 3
fileter 15
filialiser 3
filigraner 3
filmer 3
filocher 3
filouter 3
filtrer 3

INDEX DES VERBES

finaliser	3
financer	6
financiariser	3
finasser	3
finir	20
fiscaliser	3
fissurer	3
fixer	3
flageller	3
flageoler	3
flagorner	3
flairer	3
flamber	3
flamboyer	18
flancher	3
flâner	3
flanquer	3
flasher	3
flatter	3
flécher	9
fléchir	20
flemmarder	3
flétrir	20
fleurer	3
fleurir	20
flexibiliser	3
flinguer	8
flipper	3
fliquer	3
flirter	3
floconner	3
floculer	3
floquer	3
flotter	3
flouer	3
fluctuer	3
fluer	3
fluidifier	4
flûter	3

focaliser	3
foirer	3
foisonner	3
folâtrer	3
folioter	3
folkloriser	3
fomenter	3
foncer	6
fonctionnaliser	3
fonctionnariser	3
fonctionner	3
fonder	3
fondre	52
forcer	6
forcir	20
forclore	81
forer	3
forfaire	82
forfaitiser	3
forger	7
forjeter	14
forlonger	7
formaliser	3
formater	3
former	3
formuler	3
forniquer	3
fortifier	4
fossiliser	3
fouailler	3
foudroyer	18
fouetter	3
fouger	7
fouiller	3
fouiner	3
fouir	20
fouler	3
fourbir	20
fourcher	3

fourgonner	3
fourguer	8
fourmiller	3
fournir	20
fourrager	7
fourrer	3
fourvoyer	18
foutre	62
fracasser	3
fractionner	3
fracturer	3
fragiliser	3
fragmenter	3
fraîchir	20
fraiser	3
framboiser	3
franchir	20
franchiser	3
franciser	3
franger	7
frapper	3
fraterniser	3
frauder	3
frayer	16
fredonner	3
frégater	3
freiner	3
frelater	3
frémir	20
fréquenter	3
fréter	9
frétiller	3
fretter	3
fricasser	3
fricoter	3
frictionner	3
frigorifier	4
frimer	3
fringuer (se)	8

INDEX DES VERBES

friper	3
frire	72
friser	3
frisotter	3
frissonner	3
friter (se)	3
fritter	3
froisser	3
frôler	3
froncer	6
fronder	3
frotter	3
frouer	3
froufrouter	3
fructifier	4
frustrer	3
fuguer	8
fuir	33
fulgurer	3
fulminer	3
fumer	3
fumiger	7
fureter	15
fuseler	12
fuser	3
fusiller	3
fusionner	3
fustiger	7

G

gabarier	4
gâcher	3
gadgétiser	3
gaffer	3
gager	7
gagner	3
gainer	3

galber	3
galéjer	9
galérer	9
galocher	3
galonner	3
galoper	3
galvaniser	3
galvauder	3
gambader	3
gamberger	7
gambiller	3
gangrener	11
gangréner	9
ganser	3
ganter	3
garantir	20
garder	3
garer	3
gargariser (se)	3
gargouiller	3
garnir	20
garrotter	3
gaspiller	3
gâter	3
gâtifier	4
gauchir	20
gaufrer	3
gauler	3
gausser (se)	3
gaver	3
gazéifier	4
gazer	3
gazonner	3
gazouiller	3
geindre	55
geler	13
gélifier	4
gémir	20
gemmer	3

gendarmer (se)	3
gêner	3
généraliser	3
générer	9
gerber	3
gercer	6
gérer	9
germaniser	3
germer	3
gésir	34
gesticuler	3
gicler	3
gifler	3
gigoter	3
gîter	3
givrer	3
glacer	6
glairer	3
glaiser	3
glander	3
glandouiller	3
glaner	3
glapir	20
glatir	20
glavioter	3
gléner	9
glisser	3
globaliser	3
glorifier	4
gloser	3
glouglouter	3
glousser	3
glycériner	3
gober	3
goberger (se)	7
godailler	3
goder	3
godiller	3
godronner	3

INDEX DES VERBES

goinfrer 3
gominer (se).... 3
gommer 3
gondoler 3
gonfler 3
gorger 7
gouacher 3
gouailler 3
goudronner 3
gouger 7
goujonner 3
goupiller 3
gourer (se) 3
gourmander ... 3
goûter 3
goutter 3
gouverner 3
gracier 4
graduer 3
graffiter 3
grailler 3
graillonner 3
grainer 3
graisser 3
grammaticaliser 3
grandir 20
graniter 3
granuler 3
graphiter 3
grappiller 3
grasseyer 3
graticuler 3
gratifier 4
gratiner 3
gratouiller 3
gratter 3
graver 3
gravillonner 3
gravir 20

graviter 3
gréer 5
greffer 3
grêler 3
grelotter 3
grenailler 3
greneler 12
grenouiller 3
grésiller 3
grever 11
gribouiller 3
griffer 3
griffonner 3
grigner 3
grignoter 3
grillager 7
griller 3
grimacer 6
grimer 3
grimper 3
grincer 6
grincher 3
gripper 3
grisailler 3
griser 3
grisoller 3
grisonner 3
griveler 12
grognasser...... 3
grogner 3
grognonner 3
grommeler 12
gronder 3
grossir 20
grouiller 3
grouper 3
gruger 7
grumeler (se) .. 12
guéer 5

guérir 20
guerroyer 18
guêtrer (se)..... 3
guetter 3
gueuler 3
gueuletonner .. 3
guider 3
guigner 3
guillemeter 14
guillocher 3
guillotiner 3
guincher 3
guinder 3
guiper 3

habiliter 3
habiller 3
habiter 3
habituer 3
hâbler 3
hacher 3
hachurer 3
haïr 21
halener 11
haler 3
hâler 3
haleter 15
halluciner 3
hameçonner ... 3
hancher 3
handicaper 3
hannetonner ... 3
hanter 3
happer 3
haranguer 8
harasser 3
harceler 13

INDEX DES VERBES

harmoniser 3
harnacher 3
harponner 3
hasarder 3
hâter 3
haubaner 3
hausser 3
haver 3
héberger 7
hébéter 9
hébraïser 3
héler 9
hélitreuiller 3
helléniser 3
hennir 20
herbager 7
herboriser 3
hercher 3
hérisser 3
hériter 3
herser 3
hésiter 3
heurter 3
hiberner 3
hiérarchiser 3
hisser 3
historier 4
hiverner 3
hocher 3
homogénéifier .. 4
homologuer ... 8
hongrer 3
hongroyer 18
honnir 20
honorer 3
hoqueter 14
horodater 3
horrifier 4
horripiler 3

hospitaliser 3
houblonner 3
houpper........ 3
hourder 3
hourdir 20
houspiller 3
housser 3
hucher 3
huer 3
huiler 3
hululer 3
humaniser 3
humecter 3
humer 3
humidifier 4
humilier 4
hurler 3
hybrider 3
hydrater 3
hydrofuger 7
hydrogéner 9
hydrolyser 3
hypertrophier .. 4
hypnotiser 3
hypothéquer ... 9

imiter 3
immatriculer ... 3
immerger 7
immigrer 3
immiscer (s') ... 6
immobiliser 3
immoler 3
immortaliser ... 3
immuniser 3
impartir 20
impatienter 3
impatroniser (s') 3
imperméabiliser 3
impétrer 9
implanter 3
implémenter ... 3
impliquer 3
implorer 3
imploser 3
importer 3
importuner 3
imposer 3
imprégner 9
impressionner .. 3
imprimer 3
improviser 3
impulser 3
imputer 3
inactiver 3
inaugurer 3
incarcérer 9
incarner 3
incendier 4
incinérer 9
inciser 3
inciter 3
incliner 3
inclure 80
incomber 3

idéaliser 3
identifier 4
idolâtrer 3
ignifuger 7
ignorer 3
illuminer 3
illusionner 3
illustrer 3
imaginer 3
imbiber 3
imbriquer 3

incommoder	3	inhiber	3	intellectualiser	3
incorporer	3	inhumer	3	intensifier	4
incriminer	3	initialiser	3	intenter	3
incruster	3	initier	4	intercaler	3
incuber	3	injecter	3	intercéder	9
inculper	3	injurier	4	intercepter	3
inculquer	3	innerver	3	interclasser	3
incurver	3	innocenter	3	interconnecter	3
indemniser	3	innover	3	interdire	73
indexer	3	inoculer	3	intéresser	3
indifférer	9	inonder	3	interférer	9
indigner	3	inquiéter	9	interfolier	4
indiquer	3	inscrire	76	intérioriser	3
indisposer	3	insculper	3	interjeter	14
individualiser	3	inséminer	3	interligner	3
induire	78	insensibiliser	3	interloquer	3
indurer	3	insérer	9	internationaliser	3
industrialiser	3	insinuer	3	interner	3
infantiliser	3	insister	3	interpeller	3
infatuer (s')	3	insoler	3	interpénétrer (s')	9
infecter	3	insolubiliser	3	interpoler	3
inféoder	3	insonoriser	3	interposer	3
inférer	9	inspecter	3	interpréter	9
intérioriser	3	inspirer	3	interroger	7
infester	3	installer	3	interrompre	60
infibuler	3	instaurer	3	intervenir	27
infiltrer	3	instiguer	8	intervertir	20
infirmer	3	instiller	3	interviewer	3
infléchir	20	instituer	3	intimer	3
infliger	7	institutionnaliser	3	intimider	3
influencer	6	instruire	78	intituler	3
influer	3	instrumentaliser	3	intoxiquer	3
informatiser	3	instrumenter	3	intriguer	8
informer	3	insuffler	3	intriquer	3
infuser	3	insulter	3	introduire	78
ingénier (s')	4	insupporter	3	introniser	3
ingérer	9	insurger (s')	7	intuber	3
ingurgiter	3	intailler	3	invaginer (s')	3
inhaler	3	intégrer	9	invalider	3

INDEX DES VERBES

invectiver 3
inventer 3
inventorier 4
inverser 3
invertir 20
investiguer 8
investir 20
inviter 3
invoquer 3
ioder 3
iodler 3
ioniser 3
iriser 3
ironiser 3
irradier 4
irriguer 8
irriter 3
islamiser 3
isoler 3
italianiser 3
itérer.......... 9
ixer 3

jabler.......... 3
jaboter......... 3
jacasser 3
jacter 3
jaillir 20
jalonner 3
jalouser 3
japoniser 3
japper 3
jardiner 3
jargonner 3
jaser 3
jasper 3
jaspiner 3

jauger 7
jaunir 20
javeler 12
javelliser 3
jeter 14
jeûner 3
jobarder 3
jodler 3
jogger 3
joindre 56
jointer......... 3
jointoyer 18
joncher 3
jongler 3
jouer 3
jouir 20
jouter 3
jouxter 3
jubiler 3
jucher 3
judaïser 3
judiciariser...... 3
juger 7
juguler 3
jumeler 12
juponner 3
jurer 3
justifier 4
juter 3
juxtaposer 3

kératiniser (se) .. 3
kidnapper 3
kif(f)er 3
kilométrer 9
klaxonner 3

labelliser........ 3
labialiser 3
labourer 3
lacer 6
lacérer 9
lâcher 3
laïciser 3
lainer 3
laisser 3
laitonner 3
laïusser 3
lambiner 3
lambrisser 3
lamenter (se) ... 3
lamer.......... 3
laminer 3
lamper 3
lancer 6
lanciner 3
langer 7
langueyer 3
languir 20
lanterner 3
laper 3
lapider 3
lapidifier 4
lapiner 3
laquer 3
larder 3
larguer 8
larmoyer 18
lasériser 3
lasser 3
latiniser 3
latter 3
laver 3
layer 16

INDEX DES VERBES

lécher	9
légaliser	3
légender	3
légiférer	9
légitimer	3
léguer	9
lemmatiser	3
lénifier	4
léser	9
lésiner	3
lessiver	3
lester	3
leurrer	3
lever	11
léviger	7
léviter	3
lexicaliser (se)	3
lézarder	3
liaisonner	3
libeller	3
libéraliser	3
libérer	9
licencier	4
liciter	3
lier	4
lifter	3
ligaturer	3
ligner	3
lignifier (se)	4
ligoter	3
liguer	8
limer	3
limiter	3
limoger	7
liquéfier	4
liquider	3
lire	75
liserer	11
lisérer	9

lisser	3
lister	3
liter	3
lithographier	4
livrer	3
lober	3
lobotomiser	3
localiser	3
locher	3
lockouter	3
lofer	3
loger	7
longer	7
loquer	3
lorgner	3
lotionner	3
lotir	20
louanger	7
loucher	3
louer	3
loufer	3
louper	3
lourder	3
lourer	3
louveter	14
louvoyer	18
lover	3
lubrifier	4
luger	7
luire	78
luncher	3
lustrer	3
luter	3
lutiner	3
lutter	3
luxer	3
lyncher	3
lyophiliser	3

macadamiser	3
macérer	9
mâcher	3
machiner	3
mâchonner	3
mâchouiller	3
mâchurer	3
macler	3
maçonner	3
maculer	3
madériser	3
maganer	3
magasiner	3
magner (se)	3
magnétiser	3
magnétoscoper	3
magnifier	4
magouiller	3
maigrir	20
mailler	3
maintenir	27
maîtriser	3
majorer	3
malaxer	3
malmener	11
malter	3
maltraiter	3
manager	7
manchonner	3
mandater	3
mander	3
mangeotter	3
manger	7
manier	4
manifester	3
manigancer	6
manipuler	3

INDEX DES VERBES

manœuvrer	....	3
manquer	....	3
mansarder	......	3
manucurer	.....	3
manufacturer	..	3
manutentionner		3
mapper	....	3
maquer (se)	....	3
maquetter	......	3
maquignonner	.	3
maquiller	......	3
marabouter	.....	3
marauder	....	3
marbrer	....	3
marchander	....	3
marcher	....	3
marcotter	......	3
margauder	.....	3
marger	....	7
marginaliser	....	3
marginer	....	3
margoter	......	3
marier	....	4
mariner	....	3
marivauder	....	3
marmiter	....	3
marmonner	.....	3
marmoriser	.....	3
marner	....	3
maronner	......	3
maroquiner	....	3
maroufler	......	3
marquer	....	3
marqueter	.....	14
marrer (se)	....	3
marronner	.....	3
marsouiner	.....	3
marteler	....	13
martyriser	.....	3

masculiniser	....	3
masquer	....	3
massacrer	....	3
masser	....	3
massicoter	......	3
mastiquer	......	3
masturber	.....	3
matcher	....	3
matelasser	.....	3
mater	....	3
mâter	....	3
matérialiser	....	3
materner	......	3
matir	....	20
matraquer	.....	3
matricer	....	6
maturer	....	3
maudire	....	74
maugréer	......	5
maximaliser	....	3
maximiser	.....	3
mazouter	......	3
mécaniser	......	3
mécher	....	9
méconduire (se)		78
méconnaître	..	64
mécontenter	...	3
médailler	......	3
médiatiser	.....	3
médicaliser	.....	3
médire	....	73
méditer	....	3
méduser	....	3
méfier (se)	.....	4
mégir	....	20
mégisser	....	3
mégoter	....	3
méjuger	....	7
mélanger	......	7

mêler	....	3
mémoriser	.....	3
menacer	....	6
ménager	......	7
mendier	....	4
mendigoter	....	3
mener	....	11
menotter	....	3
mensualiser	....	3
mentionner	....	3
mentir	....	22
menuiser	....	3
méprendre (se)	..	53
mépriser	....	3
mercantiliser	....	3
merceriser	.....	3
merder	....	3
merdoyer	......	18
meringuer	.....	8
mériter	....	3
mésallier (se)	...	4
mésestimer	....	3
messeoir	....	40
mesurer	....	3
mésuser	....	3
métalliser	.....	3
métamorphiser	..	3
métamorphoser		3
métaphoriser	...	3
métastaser	.....	3
météoriser	.....	3
métisser	....	3
métrer	....	9
mettre	....	63
meubler	....	3
meugler	....	3
meuler	....	3
meurtrir	....	20
miauler	....	3

INDEX DES VERBES

michetonner.... 3
microfilmer 3
microminiaturiser 3
mignoter 3
migrer 3
mijoter 3
militariser 3
militer 3
millésimer...... 3
mimer 3
minauder 3
mincir 20
miner 3
minéraliser 3
miniaturiser 3
minimiser 3
minorer 3
minuter 3
mirer 3
miroiter 3
miser 3
misérer........ 9
missionner...... 3
miter (se) 3
mithridatiser ... 3
mitiger 7
mitonner 3
mitrailler 3
mixer 3
mobiliser 3
modeler 13
modéliser....... 3
modérer 9
moderniser 3
modifier 4
moduler 3
moirer 3
moisir 20
moissonner 3

moitir 20
molester 3
moleter 14
mollarder...... 3
mollir 20
momifier 4
monder 3
mondialiser 3
monétiser 3
monitorer 3
monnayer 16
monologuer 8
monopoliser ... 3
monter 3
montrer 3
moquer 3
moquetter...... 3
moraliser 3
morceler 12
mordancer 6
mordiller 3
mordorer 3
mordre 52
morfaler 3
morfler........ 3
morfondre (se) .. 52
morigéner 9
mortaiser 3
mortifier 4
motionner...... 3
motiver 3
motoriser 3
motter (se) 3
moucharder 3
moucher 3
moucheronner .. 3
moucheter 14
moudre 59
moufter 3

mouiller 3
mouler 3
mouliner 3
moulurer 3
mourir 26
mousser 3
moutonner 3
mouvoir 48
moyenner 3
mucher........ 3
muer 3
mugir 20
multiplexer 3
multiplier 4
municipaliser ... 3
munir 20
murer 3
mûrir 20
murmurer 3
musarder 3
muscler 3
museler 12
muser 3
musiquer....... 3
musser 3
muter 3
mutiler 3
mutiner (se) 3
mutualiser 3
mystifier 4
mythifier 4

nacrer 3
nager 7
naître 65
nanifier......... 4

INDEX DES VERBES

naniser	3	nobéliser	3	obscurcir	20
nantir	20	nocer	6	obséder	9
napper	3	noircir	20	observer	3
narguer	8	noliser	3	obstiner (s')	3
narrer	3	nomadiser	3	obstruer	3
nasaliser	3	nombrer	3	obtempérer	9
nasiller	3	nominaliser	3	obtenir	27
nationaliser	3	nominer	3	obturer	3
natter	3	nommer	3	obvenir	27
naturaliser	3	nordir	20	obvier	4
naufrager	7	normaliser	3	occasionner	3
naviguer	8	normer	3	occidentaliser	3
navrer	3	noter	3	occlure	80
nazifier	4	notifier	4	occulter	3
néantiser	3	nouer	3	occuper	3
nébuliser	3	nourrir	20	ocrer	3
nécessiter	3	novéliser	3	octavier	4
nécroser	3	nover	3	octroyer	18
négliger	7	noyauter	3	œilletonner	3
négocier	4	noyer	18	œuvrer	3
neigeoter	3	nuancer	6	offenser	3
neiger	7	nucléariser	3	officialiser	3
néologiser	3	nuire	78	officier	4
nervurer	3	numériser	3	**offrir**	29
nettoyer	18	numéroter	3	offusquer	3
neutraliser	3			oindre	56
nicher	3			oiseler	12
nickeler	12			ombrager	7
nider (se)	3	⊙		ombrer	3
nidifier	4			omettre	63
nieller	3	obéir	20	ondoyer	18
nier	4	obérer	9	onduler	3
nimber	3	objecter	3	opacifier	4
nipper	3	objectiver	3	opaliser	3
nitrater	3	objurguer	8	opérer	9
nitrer	3	obliger	7	opiner	3
nitrifier	4	obliquer	3	opiniâtrer (s')	3
nitrurer	3	oblitérer	9	opposer	3
niveler	12	obnubiler	3	oppresser	3
		obombrer	3		

INDEX DES VERBES

opprimer 3
opter 3
optimaliser 3
optimiser 3
oraliser 3
orbiter 3
orchestrer 3
ordonnancer ... 6
ordonner 3
organiser 3
orienter 3
ornementer 3
orner 3
orthographier .. 4
osciller 3
oser 3
ossifier (s') 4
ostraciser....... 3
ôter 3
ouater 3
ouatiner 3
oublier 4
ouiller 3
ouïr 35
ourdir 20
ourler 3
outiller 3
outrager 7
outrepasser 3
outrer 3
ouvrager 7
ouvrer 3
ouvrir 29
ovaliser 3
ovationner 3
ovuler 3
oxyder 3
oxygéner 9
ozoniser 3

P

pacager 7
pacifier 4
pacquer 3
pacser (se)...... 3
pactiser 3
paganiser 3
pagayer 16
pageoter (se) .. 3
pager (se) 7
paginer 3
paillassonner ... 3
pailler.......... 3
pailleter 14
paître 64
palabrer 3
palanquer 3
palataliser 3
palettiser 3
pâlir 20
palissader 3
palisser 3
pallier 4
palper 3
palpiter 3
pâmer (se) 3
panacher 3
paner 3
panifier 4
paniquer 3
panneauter 3
panoramiquer .. 3
panser 3
panteler 12
pantoufler 3
papillonner 3
papilloter 3
papoter 3

papouiller 3
parachever 11
parachuter 3
parader 3
parafer 3
paraffiner 3
paraître 64
paralyser 3
paramétrer 9
parangonner ... 3
parapher 3
paraphraser 3
parasiter 3
parcelliser 3
parcheminer ... 3
parcourir 25
pardonner 3
parer 3
paresser 3
parfaire 82
parfiler 3
parfondre 52
parfumer 3
parier 4
parjurer (se) 3
parlementer 3
parler 3
parlot(t)er...... 3
parodier 4
parquer 3
parqueter 14
parrainer 3
parsemer 11
partager 7
participer 3
particulariser ... 3
partir 22
parvenir 27
passementer ... 3

INDEX DES VERBES

passepoiler	3
passer	3
passionner	3
pasteuriser	3
pasticher	3
patauger	7
patenter	3
patienter	3
patiner	3
pâtir	20
pâtisser	3
patouiller	3
patronner	3
patrouiller	3
pâturer	3
paumer	3
paupériser	3
pauser	3
pavaner (se)	3
paver	3
pavoiser	3
payer	16
peaufiner	3
pécher	9
pêcher	3
pédaler	3
peigner	3
peindre	55
peiner	3
peinturer	3
peinturlurer	3
peler	13
pelleter	14
peloter	3
pelotonner	3
pelucher	3
pénaliser	3
pencher	3
pendiller	3

pendouiller	3
pendre	52
penduler	3
pénétrer	9
penser	3
pensionner	3
pépier	4
percer	6
percevoir	36
percher	3
percuter	3
perdre	52
perdurer	3
pérenniser	3
perfectionner	3
perforer	3
perfuser	3
péricliter	3
périmer (se)	3
périphraser	3
périr	20
perler	3
permettre	63
permuter	3
pérorer	3
peroxyder	3
perpétrer	9
perpétuer	3
perquisitionner	3
persécuter	3
persévérer	9
persifler	3
persister	3
personnaliser	3
personnifier	4
persuader	3
perturber	3
pervertir	20
pervibrer	3

peser	11
pester	3
pétarader	3
péter	9
pétiller	3
petit-déjeuner	3
pétitionner	3
pétocher	3
pétrifier	4
pétrir	20
pétuner	3
peupler	3
phagocyter	3
phantasmer	3
philosopher	3
phonétiser	3
phosphater	3
phosphorer	3
photocomposer	3
photocopier	4
photographier	4
phraser	3
piaffer	3
piailler	3
pianoter	3
piauler	3
picoler	3
picorer	3
picoter	3
piéger	10
piéter	9
piétiner	3
pieuter (se)	3
pifer	3
pigeonner	3
piger	7
pigmenter	3
pignocher	3
piler	3

INDEX DES VERBES

piller 3
pilonner 3
piloter 3
pimenter 3
pinailler 3
pincer 6
pinter 3
piocher 3
pioncer 6
piper 3
pique-niquer . . . 3
piquer 3
piqueter 14
pirater 3
pirouetter 3
pisser 3
pissoter 3
pister 3
pistonner 3
pitonner 3
pivoter 3
placarder 3
placardiser. 3
placer 6
plafonner 3
plagier 4
plaider 3
plaindre 54
plaire 68
plaisanter 3
planchéier 4
plancher 3
planer 3
planétariser 3
planifier 4
planquer 3
planter 3
plaquer 3
plasmifier 4

plastifier 4
plastiquer 3
plastronner 3
platiner 3
plâtrer 3
plébisciter 3
pleurer 3
pleurnicher 3
pleuvasser 3
pleuviner 3
pleuvioter 3
pleuvoir 50
pleuvoter. 3
plier 4
plisser 3
plomber 3
plonger 7
ployer 18
plumer 3
pluraliser 3
pocher 3
poêler 3
poétiser 3
pogner 3
poignarder 3
poiler (se) 3
poinçonner 3
poindre 56
pointer 3
pointiller 3
poireauter 3
poisser 3
poivrer 3
polariser 3
poldériser 3
polémiquer 3
policer 6
polir 20
polissonner 3

politiquer 3
politiser 3
polluer 3
polycopier 4
polymériser 3
pommader 3
pommeler (se) . . 12
pommer 3
pomper 3
pomponner 3
poncer 6
ponctionner 3
ponctuer 3
pondérer 9
pondre 52
ponter 3
pontifier 4
populariser 3
poquer 3
porter 3
portraiturer 3
poser 3
positionner 3
positiver 3
posséder 9
postdater 3
poster 3
postillonner 3
postposer 3
postsonoriser . . 3
postsynchroniser 3
postuler 3
potasser 3
potentialiser . . . 3
potiner 3
poudrer 3
poudroyer 18
pouffer 3
pouliner 3

INDEX DES VERBES

pouponner	3
pourchasser	3
pourfendre	52
pourlécher	9
pourrir	20
poursuivre	70
pourvoir	39
pousser	3
poutser	3
pouvoir	44
praliner	3
pratiquer	3
préacheter	15
préaviser	3
précariser	3
précautionner (se)	3
précéder	9
préchauffer	3
prêcher	3
précipiter	3
préciser	3
précompter	3
préconiser	3
précuire	78
prédestiner	3
prédéterminer	3
prédiquer	3
prédire	73
prédisposer	3
prédominer	3
préempter	3
préétablir	20
préexister	3
préfabriquer	3
préfacer	6
préférer	9
préfigurer	3
préfinancer	6
préfixer	3

préformer	3
préjudicier	4
préjuger	7
prélasser (se)	3
prélever	11
préluder	3
préméditer	3
prémunir	20
prendre	53
prénommer	3
préoccuper	3
préparer	3
prépayer	16
préposer	3
prépositionner	3
prérecruter	3
prérégler	9
présager	7
prescrire	76
présélectionner	3
présenter	3
préserver	3
présidentialiser	3
présider	3
présonoriser	3
pressentir	22
presser	3
pressurer	3
pressuriser	3
présumer	3
présupposer	3
présurer	3
prétendre	52
prêter	3
prétexter	3
prévaloir	47
prévariquer	3
prévenir	27
prévoir	38

prier	4
primer	3
priser	3
privatiser	3
priver	3
privilégier	4
probabiliser	3
procéder	9
processionner	3
proclamer	3
procréer	5
procurer	3
prodiguer	8
produire	78
profaner	3
proférer	9
professer	3
professionnaliser	3
profiler	3
profiter	3
programmer	3
progresser	3
prohiber	3
projeter	14
prolétariser	3
proliférer	9
prolonger	7
promener	11
promettre	63
promotionner	3
promouvoir	48
promulguer	8
prôner	3
pronominaliser	3
prononcer	6
pronostiquer	3
propager	7
prophétiser	3
proportionner	3

INDEX DES VERBES

proposer	3
propulser	3
proroger	7
proscrire	76
prosodier	4
prospecter	3
prospérer	9
prosterner	3
prostituer	3
protéger	10
protester	3
prouver	3
provenir	27
proverbialiser	3
provigner	3
provisionner	3
provoquer	3
psalmodier	4
psychanalyser	3
psychiatriser	3
publier	4
puddler	3
puer	3
puiser	3
pulluler	3
pulser	3
pulvériser	3
punaiser	3
punir	20
purger	7
purifier	4
putréfier	4
pyramider	3
pyrograver	3

Q

quadriller	3
quadrupler	3
qualifier	4
quantifier	4
quémander	3
quereller	3
quérir	28
questionner	3
quêter	3
queuter	3
quintoyer	18
quintupler	3
quitter	3

R

rabâcher	3
rabaisser	3
rabattre	62
rabibocher	3
rabioter	3
rabonnir	20
raboter	3
rabougrir (se)	20
rabouter	3
rabrouer	3
raccommoder	3
raccompagner	3
raccorder	3
raccourcir	20
raccrocher	3
racheter	15
raciner	3
racketter	3
racler	3
racoler	3
raconter	3
racornir	20
rader	3
radicaliser	3

radier	4
radiner	3
radiobaliser	3
radiodiffuser	3
radiographier	4
radioguider	3
radioscoper	3
radoter	3
radouber	3
radoucir	20
rafaler	3
raffermir	20
raffiner	3
raffoler	3
raffûter	3
rafistoler	3
rafler	3
rafraîchir	20
ragaillardir	20
rager	7
ragréer	5
raguer	8
raidir	20
railler	3
rainer	3
rainurer	3
raire	69
raisonner	3
rajeunir	20
rajouter	3
rajuster	3
ralentir	20
râler	3
ralinguer	8
rallier	4
rallonger	7
rallumer	3
ramager	7
ramasser	3

INDEX DES VERBES

ramender	3	rater	3	réanimer	3
ramener	11	ratiboiser	3	réapparaître	64
ramer	3	ratifier	4	réapprendre	53
rameuter	3	ratiner	3	réapproprier (se)	4
ramifier (se)	4	ratiociner	3	réapprovisionner	3
ramollir	20	rationaliser	3	réargenter	3
ramoner	3	rationner	3	réarmer	3
ramper	3	ratisser	3	réarranger	7
rancarder	3	ratonner	3	réassigner	3
rancir	20	rattacher	3	réassortir	20
rançonner	3	rattraper	3	réassurer	3
randomiser	3	raturer	3	rebaisser	3
randonner	3	ravager	7	rebander	3
ranger	7	ravaler	3	rebaptiser	3
ranimer	3	ravauder	3	rebâtir	20
rapapilloter	3	ravigoter	3	rebattre	62
rapatrier	4	raviner	3	rebeller (se)	3
râper	3	ravir	20	rebiffer (se)	3
rapetasser	3	raviser (se)	3	rebiquer	3
rapetisser	3	ravitailler	3	reblanchir	20
rapiner	3	raviver	3	reboiser	3
raplatir	20	ravoir	1	rebondir	20
rappareiller	3	rayer	16	reborder	3
rapparier	4	rayonner	3	reboucher	3
rappeler	12	razzier	4	rebouter	3
rappliquer	3	réabonner	3	reboutonner	3
rapporter	3	réabsorber	3	rebroder	3
rapprocher	3	réaccoutumer (se)	3	rebrousser	3
raquer	3	réactiver	3	rebuter	3
raréfier	4	réactualiser	3	recacheter	14
raser	3	réadapter	3	recadrer	3
rassasier	4	réadmettre	63	recalcifier	4
rassembler	3	réaffirmer	3	recaler	3
rasseoir	40	réagir	20	recapitaliser	3
rasséréner	9	réaléser	9	récapituler	3
rassir	20	réaligner	3	recarreler	12
rassurer	3	réaliser	3	recaser	3
ratatiner	3	réaménager	7	recauser	3
râteler	12	réamorcer	6	recaver (se)	3

INDEX DES VERBES

recéder	9	reconfigurer	3	recycler	3
receler	13	réconforter	3	redécouvrir	29
recéler	9	reconnaître	64	redéfinir	20
recenser	3	reconnecter	3	redemander	3
recentrer	3	reconquérir	28	redémarrer	3
receper	11	reconsidérer	9	redéployer	18
recéper	9	reconsolider	3	redescendre	52
réceptionner	3	reconstituer	3	redevenir	27
recevoir	36	reconstruire	78	redevoir	43
réchampir	20	reconvertir	20	rediffuser	3
rechanger	7	recopier	4	rédiger	7
rechanter	3	recorder	3	rédimer	3
rechaper	3	recorriger	7	redire	73
réchapper	3	recoucher	3	rediscuter	3
recharger	7	recoudre	58	redistribuer	3
rechasser	3	recouper	3	redonner	3
réchauffer	3	recourber	3	redorer	3
rechausser	3	recourir	25	redoubler	3
rechercher	3	recouvrer	3	redouter	3
rechigner	3	recouvrir	29	redresser	3
rechristianiser	3	recracher	3	réduire	78
rechuter	3	recréer	5	rééchelonner	3
récidiver	3	récréer	5	rééécouter	3
réciter	3	recrépir	20	réédifier	4
réclamer	3	recreuser	3	rééditer	3
reclasser	3	récrier (se)	4	rééduquer	3
recoiffer	3	récriminer	3	réélire	75
récoler	3	ré(é)crire	76	réemballer	3
recoller	3	recristalliser	3	réembarquer	3
récolter	3	recroqueviller	3	réembaucher	3
recombiner	3	recruter	3	réemployer	18
recommander	3	rectifier	4	réemprunter	3
recommencer	6	recueillir	30	réensemencer	6
récompenser	3	recuire	78	réentendre	52
recomposer	3	reculer	3	rééquilibrer	3
recompter	3	reculotter	3	réer	5
réconcilier	4	récupérer	9	réescompter	3
recondamner	3	récurer	3	réétudier	4
reconduire	78	récuser	3	réévaluer	3

INDEX DES VERBES

réexaminer	3	réglementer	3	réinviter	3
réexpédier	4	régler	9	réitérer	9
réexporter	3	régner	9	rejaillir	20
refaire	82	regonfler	3	rejeter	14
refendre	52	regorger	7	rejoindre	56
référencer	6	regratter	3	rejointoyer	18
référer	9	regréer	5	rejouer	3
refermer	3	regreffer	3	réjouir	20
refiler	3	régresser	3	relâcher	3
réfléchir	20	regretter	3	relaisser	3
refléter	9	regrimper	3	relancer	6
refleurir	20	regrossir	20	relater	3
refluer	3	regrouper	3	relativiser	3
refonder	3	régulariser	3	relaver	3
refondre	52	réguler	3	relaxer	3
reformater	3	régurgiter	3	relayer	16
réformer	3	réhabiliter	3	reléguer	9
reformuler	3	réhabituer	3	relever	11
refouiller	3	rehausser	3	relier	4
refouler	3	réhydrater	3	relire	75
refourguer	8	réifier	4	relocaliser	3
réfracter	3	réimperméabiliser	3	reloger	7
refréner	9	réimplanter	3	relooker	3
réfrigérer	9	réimporter	3	relouer	3
refroidir	20	réimposer	3	reluire	78
réfugier (se)	4	réimprimer	3	reluquer	3
refuser	3	réincarner (se)	3	remâcher	3
réfuter	3	réincarcérer	9	remanger	7
regagner	3	réincorporer	3	remanier	4
régaler	3	réinfecter	3	remaquiller	3
regarder	3	réinjecter	3	remarcher	3
regarnir	20	réinscrire	76	remarier	4
régater	3	réinsérer	9	remarquer	3
regeler	13	réinstaller	3	remastériser	3
régénérer	9	réintégrer	9	remastiquer	3
régenter	3	réinterpréter	9	remballer	3
regimber	3	réintroduire	78	rembarquer	3
régionaliser	3	réinventer	3	rembarrer	3
régir	20	réinvestir	20	rembaucher	3

INDEX DES VERBES

remblayer 16
rembobiner 3
remboîter 3
rembourrer 3
rembourser 3
rembrunir (se) .. 20
rembucher 3
remédier 4
remembrer 3
remémorer 3
remercier 4
remettre 63
remeubler 3
remilitariser 3
remiser 3
remmailler 3
remmailloter.... 3
remmancher.... 3
remmener 11
remodeler 13
remonter 3
remontrer 3
remordre....... 52
remorquer...... 3
remouiller 3
rempailler 3
rempaqueter ... 14
rempiéter 9
rempiler 3
remplacer 6
remplir 20
remployer 18
remplumer (se) 3
rempocher 3
rempoissonner .. 3
remporter 3
rempoter 3
remprunter 3
remuer 3

rémunérer 9
renâcler 3
renaître 65
renauder 3
rencaisser 3
rencarder....... 3
renchaîner..... 3
renchérir 20
rencogner 3
rencontrer 3
rendormir 22
rendosser 3
rendre 52
renégocier 4
reneiger 7
renfermer 3
r(é)enfiler 3
renflammer..... 3
renfler 3
renflouer 3
renfoncer 6
renforcer 6
renfrogner (se) .. 3
r(é)engager..... 7
rengainer 3
rengorger (se) .. 7
rengraisser 3
rengrener..... 11
rengréner 9
renier 4
renifler 3
renommer 3
renoncer 6
renouer 3
renouveler 12
rénover 3
renquiller....... 3
renseigner 3
rentabiliser 3

renter 3
rentoiler 3
rentrer 3
renverser 3
renvider 3
renvoyer 19
réoccuper 3
réopérer 9
réorchestrer 3
réordonner..... 3
réorganiser 3
réorienter 3
repairer 3
repaître 64
répandre 52
reparaître 64
réparer 3
reparler 3
repartager..... 7
repartir 22
répartir 20
repasser 3
repaver 3
repayer........ 16
repêcher 3
repeindre 55
repenser 3
repentir (se) .. 22
repercer 6
répercuter 3
reperdre 52
repérer 9
répertorier 4
répéter 9
repeupler 3
repincer 6
repiquer 3
replacer 6
replanter 3

INDEX DES VERBES

replâtrer 3
repleuvoir 50
replier 4
répliquer 3
replonger 7
reployer 18
repolir 20
répondre 52
reporter 3
reposer 3
repositionner ... 3
repoudrer 3
repousser 3
reprendre 53
représenter 3
réprimander ... 3
réprimer 3
repriser 3
reprocher 3
reproduire 78
reprofiler 3
reprogrammer .. 3
reprographier .. 4
réprouver 3
répudier 4
répugner 3
réputer 3
requalifier 4
requérir 28
requinquer 3
réquisitionner .. 3
resaler 3
resalir 20
rescinder 3
resemer 11
réséquer 9
réserver 3
résider 3
résigner 3

résilier 4
résiner 3
résister 3
résonner 3
résorber 3
résoudre 57
respectabiliser .. 3
respecter 3
respirer 3
resplendir 20
responsabiliser .. 3
resquiller 3
ressaigner 3
ressaisir 20
ressasser 3
ressauter 3
r(é)essayer 16
ressembler 3
ressemeler 12
ressemer 11
ressentir 22
resserrer 3
resservir 22
ressortir 20
ressortir 22
ressouder 3
ressourcer (se) .. 6
ressouvenir (se) 27
ressuer 3
ressurgir 20
ressusciter 3
ressuyer 17
restaurer 3
rester 3
restituer 3
restreindre 55
restructurer 3
résulter 3
résumer 3

resurgir 20
rétablir 20
retailler 3
rétamer 3
retaper 3
retapisser 3
retarder 3
retâter 3
reteindre 55
retéléphoner ... 3
retendre 52
retenir 27
retenter 3
retentir 20
retercer 6
retirer 3
retisser 3
retomber 3
retondre 52
retoquer 3
retordre 52
rétorquer 3
retoucher 3
retourner 3
retracer 6
rétracter 3
retraduire 78
retraiter 3
retrancher 3
retranscrire 76
retransmettre .. 63
retravailler 3
retraverser 3
rétrécir 20
rétreindre 55
retremper 3
rétribuer 3
rétroagir 20
rétrocéder 9

INDEX DES VERBES

rétrograder	3	révolvériser	3	roidir	20
retrousser	3	révoquer	3	romancer	6
retrouver	3	revoter	3	romaniser	3
retuber	3	revouloir	45	**rompre**	60
réunifier	4	révulser	3	ronchonner	3
réunir	20	rewriter	3	ronéoter	3
réussir	20	rhabiller	3	ronéotyper	3
réutiliser	3	rhumer	3	ronfler	3
revacciner	3	ricaner	3	ronger	7
revaloir	46	ricocher	3	ronronner	3
revaloriser	3	rider	3	roquer	3
revancher (se)	3	ridiculiser	3	roser	3
revasculariser	3	rifler	3	rosir	20
rêvasser	3	rigidifier	4	rosser	3
réveiller	3	rigoler	3	roter	3
réveillonner	3	rimailler	3	rôtir	20
révéler	9	rimer	3	roucouler	3
revendiquer	3	rincer	6	rouer	3
revendre	52	ringardiser	3	rougeoyer	18
revenir	27	ripailler	3	rougir	20
rêver	3	riper	3	rouiller	3
réverbérer	9	ripoliner	3	rouir	20
reverdir	20	riposter	3	rouler	3
révérer	9	**rire**	77	roulotter	3
revernir	20	risquer	3	roupiller	3
reverser	3	rissoler	3	rouscailler	3
revêtir	23	ristourner	3	rouspéter	9
revigorer	3	ritualiser	3	roussir	20
revirer	3	rivaliser	3	router	3
réviser	3	river	3	rouvrir	29
revisiter	3	riveter	14	rucher	3
revisser	3	rober	3	rudoyer	18
revitaliser	3	robotiser	3	ruer	3
revivifier	4	rocher	3	rugir	20
revivre	71	rôdailler	3	ruiner	3
revoir	37	roder	3	ruisseler	12
revoler	3	rôder	3	ruminer	3
révolter	3	rogner	3	rupiner	3
révolutionner	3	rognonner	3	ruser	3

INDEX DES VERBES

rustiquer 3
rutiler 3
rythmer 3

sabler 3
sablonner 3
saborder 3
saboter 3
sabrer 3
saccader 3
saccager 7
saccharifier 4
sacquer 3
sacraliser 3
sacrer 3
sacrifier 4
safraner 3
saigner 3
saillir 31
saisir 20
saisonner 3
salarier 4
saler 3
salifier 4
saliniser (se) 3
salir 20
saliver 3
salpêtrer 3
saluer 3
sanctifier 4
sanctionner 3
sanctuariser 3
sandwicher 3
sangler 3
sangloter 3

saouler 3
saper 3
saponifier 4
saquer 3
sarcler 3
sasser 3
satelliser 3
satiner 3
satiriser 3
satisfaire 82
saturer 3
saucer 6
saucissonner ... 3
saumurer 3
sauner 3
saupoudrer 3
saurer 3
saurir 20
sauter 3
sautiller 3
sauvegarder 3
sauver 3
savater 3
savoir 42
savonner 3
savourer 3
scalper 3
scandaliser 3
scander 3
scanner 3
scarifier 4
sceller 3
scénariser 3
schématiser 3
schlinguer 8
schlitter 3
scier 4
scinder 3
scintiller 3

scléroser 3
scolariser 3
scorer 3
scotcher 3
scotomiser 3
scratcher 3
scribouiller 3
scruter 3
sculpter 3
sécher 9
seconder 3
secouer 3
secourir 25
sécréter 9
sectionner 3
sectoriser 3
séculariser 3
sécuriser 3
sédentariser 3
sédimenter 3
séduire 78
segmenter 3
ségréguer 9
séjourner 3
sélecter 3
sélectionner 3
seller 3
sembler 3
semer 11
semoncer 6
sensibiliser 3
sentir 22
seoir 40
séparer 3
septupler 3
séquencer 6
séquestrer 3
sérancer 6
serfouir 20

INDEX DES VERBES

sérier	4
sérigraphier	4
seriner	3
seringuer	8
sermonner	3
serpenter	3
serrer	3
sertir	20
servir	22
sévir	20
sevrer	11
sextupler	3
shampooiner	3
shooter	3
shunter	3
sidérer	9
siéger	10
siffler	3
siffloter	3
sigler	3
signaler	3
signaliser	3
signer	3
signifier	4
silhouetter	3
sillonner	3
similiser	3
simplifier	4
simuler	3
singer	7
singulariser	3
siniser	3
sinuer	3
siphonner	3
siroter	3
situer	3
skier	4
slalomer	3
slaviser	3

slicer	6
smasher	3
sniffer	3
snober	3
socialiser	3
sodomiser	3
soigner	3
solariser	3
solder	3
solenniser	3
solfier	4
solidariser	3
solidifier	4
soliloquer	3
solliciter	3
solubiliser	3
solutionner	3
somatiser	3
sombrer	3
sommeiller	3
sommer	3
somnoler	3
sonder	3
songer	7
sonnailler	3
sonner	3
sonoriser	3
sophistiquer	3
sortir	22
soucier	4
souder	3
soudoyer	18
souffler	3
souffleter	14
souffrir	29
soufrer	3
souhaiter	3
souiller	3
soulager	7

soûler	3
soulever	11
souligner	3
soumettre	63
soumissionner	3
soupçonner	3
souper	3
soupeser	11
soupirer	3
souquer	3
sourciller	3
sourdre	52
sourire	77
sous-alimenter	3
souscrire	76
sous-employer	18
sous-entendre	52
sous-estimer	3
sous-évaluer	3
sous-exposer	3
sous-investir	20
sous-louer	3
sous-payer	16
sous-tendre	52
sous-titrer	3
sous-toiler	3
soustraire	69
sous-traiter	3
sous-utiliser	3
sous-virer	3
soutacher	3
soutenir	27
soutirer	3
souvenir (se)	27
soviétiser	3
spatialiser	3
spécialiser	3
spécifier	4
spéculer	3

INDEX DES VERBES

speeder	3
spiritualiser	3
spolier	4
sponsoriser	3
sporuler	3
sprinter	3
squatter	3
squeezer	3
stabiliser	3
staffer	3
stagner	3
standardiser	3
stariser	3
stationner	3
statuer	3
statufier	4
sténographier	4
sténotyper	3
stéréotyper	3
stérer	9
stériliser	3
stigmatiser	3
stimuler	3
stipendier	4
stipuler	3
stocker	3
stopper	3
stranguler	3
stratifier	4
stresser	3
striduler	3
strier	4
structurer	3
stupéfier	4
stuquer	3
styler	3
styliser	3
subdéléguer	9
subdiviser	3

subir	20
subjuguer	8
sublimer	3
submerger	7
subodorer	3
subordonner	3
suborner	3
subroger	7
subsister	3
substantifier	4
substantiver	3
substituer	3
subsumer	3
subtiliser	3
subvenir	27
subventionner	3
subvertir	20
succéder	9
succomber	3
sucer	6
suçoter	3
sucrer	3
suer	3
suffire	**72**
suffixer	3
suffoquer	3
suggérer	9
suggestionner	3
suicider (se)	3
suiffer	3
suinter	3
suivre	**70**
sulfater	3
sulfiter	3
sulfurer	3
superposer	3
superviser	3
supplanter	3
suppléer	5

supplémenter	3
supplicier	4
supplier	4
supporter	3
supposer	3
supprimer	3
suppurer	3
supputer	3
surabonder	3
surajouter	3
suralimenter	3
surarmer	3
surbaisser	3
surcharger	7
surchauffer	3
surclasser	3
surcomprimer	3
surcontrer	3
surcoter	3
surcouper	3
surdéterminer	3
surdimensionner	3
surélever	11
surenchérir	20
surendetter	3
surentraîner	3
suréquiper	3
surestimer	3
surévaluer	3
surexciter	3
surexploiter	3
surexposer	3
surfacer	6
surfacturer	3
surfaire	82
surfer	3
surfiler	3
surgeler	13
surgeonner	3

INDEX DES VERBES

surgir 20
surglacer 6
surhausser 3
surimposer 3
suriner 3
surinfecter (se) .. 3
surinvestir 20
surir 20
surjeter 14
surjouer 3
surligner 3
surmédicaliser .. 3
surmener 11
surmonter 3
surmultiplier ... 4
surnager 7
surnommer 3
suroxyder 3
surpasser 3
surpayer 16
surpiquer 3
surplomber 3
surprendre 53
surproduire 78
surprotéger 7
sursaturer 3
sursauter 3
sursemer 11
surseoir 41
surtaxer 3
surtitrer 3
survaloriser 3
surveiller 3
survenir 27
survirer 3
survivre 71
survoler 3
survolter 3
susciter 3

suspecter 3
suspendre 52
sustenter 3
susurrer 3
suturer 3
swinguer 8
syllaber 3
symboliser 3
sympathiser 3
synchroniser ... 3
syncoper 3
syndicaliser 3
syndiquer 3
synthétiser 3
syntoniser 3
systématiser 3

tamponner 3
tancer 6
tanguer 8
taniser 3
tanner 3
tapager 7
taper 3
tapiner 3
tapir (se) 20
tapisser 3
tapoter 3
taquer 3
taquiner 3
tarabiscoter 3
tarabuster 3
tarauder 3
tarder 3
tarer 3
targuer (se) 8
tarifer 3
tarifier 4
tarir 20
tartiner 3
tartir 20
tasser 3
tâter 3
tatillonner 3
tâtonner 3
tatouer 3
taveler 12
taxer 3
tayloriser 3
tchatcher 3
techniciser 3
technocratiser .. 3
teiller 3
teindre 55
teinter 3
télécharger 7

tabasser 3
tabler 3
tabuler 3
tacher 3
tâcher 3
tacheter 14
tacler 3
taguer 8
taillader 3
tailler 3
taire 68
taler 3
taller 3
talocher 3
talonner 3
talquer 3
tambouriner ... 3
tamiser 3

INDEX DES VERBES

télécommander 3
télécopier 4
télédiffuser 3
télégraphier 4
téléguider 3
télépayer 16
téléphoner 3
télescoper 3
télétransmettre 63
télétravailler 3
téléviser 3
témoigner 3
tempérer 9
tempêter 3
temporiser 3
tenailler 3
tendre 52
tenir 27
tenonner 3
ténoriser 3
tenter 3
tercer 6
tergiverser 3
terminer 3
ternir 20
terrasser 3
terreauter 3
terrer 3
terrifier 4
terroriser 3
tester 3
tétaniser 3
téter 9
texturer 3
théâtraliser 3
thématiser 3
théoriser 3
thésauriser 3
tiédir 20

tiller 3
tilter 3
timbrer 3
tinter 3
tintinnabuler 3
tiquer 3
tirailler 3
tire-bouchonner 3
tirer 3
tisonner 3
tisser 3
titiller 3
titrer 3
titriser 3
tituber 3
titulariser 3
toiler 3
toiletter 3
toiser 3
tolérer 9
tomber 3
tomer 3
tondre 52
tonifier 4
tonitruer 3
tonner 3
tonsurer 3
tontiner 3
toper 3
toquer 3
torcher 3
torchonner 3
tordre 52
toréer 5
torpiller 3
torréfier 4
torsader 3
tortiller 3
torturer 3

tosser 3
totaliser 3
toucher 3
touer 3
touiller 3
toupiller 3
toupiner 3
tourber 3
tourbillonner 3
tourmenter 3
tournailler 3
tournasser 3
tournebouler 3
tourner 3
tournicoter 3
tournoyer 18
tousser 3
toussoter 3
trabouler 3
tracasser 3
tracer 6
tracter 3
traduire 78
traficoter 3
trafiquer 3
trahir 20
traînailler 3
traînasser 3
traîner 3
traire 69
traiter 3
tramer 3
trancher 3
tranquilliser 3
transbahuter 3
transborder 3
transcender 3
transcoder 3
transcrire 76

INDEX DES VERBES

transférer 9
transfigurer 3
transfiler 3
transformer 3
transfuser 3
transgresser 3
transhumer 3
transiger 7
transir 20
transistoriser ... 3
transiter 3
translater 3
transmettre 63
transmigrer 3
transmuer 3
transmuter 3
transparaître ... 64
transpercer 6
transpirer 3
transplanter 3
transporter 3
transposer 3
transsuder 3
transvaser 3
transvider 3
traquer 3
traumatiser 3
travailler 3
travailloter 3
traverser 3
travestir 20
trébucher 3
tréfiler 3
treillager 7
treillisser 3
trémater 3
trembler 3
trembloter 3
trémousser (se) 3

tremper 3
trépaner 3
trépasser 3
trépider 3
trépigner 3
tressaillir 31
tressauter 3
tresser 3
treuiller 3
trévirer 3
trianguler 3
triballer 3
tricher 3
tricoter 3
trier 4
trifouiller 3
triller 3
trimarder 3
trimbaler 3
trimer 3
tringler 3
trinquer 3
triompher 3
tripatouiller 3
tripler 3
tripoter 3
triquer 3
trisser 3
triturer 3
tromper 3
trompeter 14
tronçonner 3
trôner 3
tronquer 3
tropicaliser 3
troquer 3
trotter 3
trottiner 3
troubler 3

trouer 3
trousser 3
trouver 3
truander 3
trucider 3
truffer 3
truquer 3
trusquiner 3
truster 3
tuber 3
tuer 3
tuméfier 4
turbiner 3
turlupiner 3
turluter 3
tuteurer 3
tutorer 3
tutoyer 18
tuyauter 3
twister 3
typer 3
tyranniser 3

ulcérer 9
ululer 3
unifier 4
uniformiser 3
unir 20
universaliser 3
urbaniser 3
urger 7
uriner 3
user 3
usiner 3

INDEX DES VERBES

usurper 3
utiliser 3

vacciner 3
vaciller 3
vadrouiller 3
vagabonder 3
vagir 20
vaguer 8
vaincre 61
valdinguer 8
valider 3
valoir 46
valoriser 3
valser 3
vamper 3
vampiriser 3
vandaliser 3
vanner 3
vanter 3
vaporiser 3
vaquer 3
varapper 3
varier 4
varloper 3
vasectomiser ... 3
vaseliner 3
vaser 3
vasouiller 3
vassaliser 3
vaticiner 3
vautrer (se) 3
végéter 9
véhiculer 3
veiller 3

veiner 3
vêler 3
velouter 3
vendanger 7
vendre 52
vénérer 9
venger 7
venir 27
venter 3
ventiler 3
verbaliser 3
verdir 20
verdoyer 18
vérifier 4
vermiller 3
vernir 20
vernisser 3
verrouiller 3
verser 3
versifier 4
vesser 3
vétiller 3
vêtir 23
vexer 3
viabiliser 3
viander 3
vibrer 3
vibrionner 3
vicier 4
victimiser 3
vidanger 7
vider 3
vieillir 20
vieller 3
vilipender 3
villégiaturer 3
vinaigrer 3
viner 3
vinifier 4

violacer 6
violenter 3
violer 3
violoner 3
virer 3
virevolter 3
viriliser 3
viroler 3
viser 3
visionner 3
visiter 3
visser 3
visualiser 3
vitrer 3
vitrifier 4
vitrioler 3
vitupérer 9
vivifier 4
vivoter 3
vivre 71
vocaliser 3
vociférer 9
voguer 8
voiler 3
voir 37
voisiner 3
voiturer 3
volatiliser 3
voler 3
voleter 14
voliger 7
volleyer 3
volter 3
voltiger 7
vomir 20
voter 3
vouer 3
vouloir 45
voussoyer 18

INDEX DES VERBES

voûter 3
vouvoyer 18
voyager 7
vriller 3
vrombir 20
vulcaniser 3
vulgariser 3

warranter 3

yoyot(t)er 3

zapper 3
zébrer 9
zester 3
zézayer 16

ziber 3
zieuter 3
zigouiller 3
zigzaguer 8
zinguer 8
zinzinuler 3
zipper 3
zoner 3
zoomer 3
zouker 3
zozoter 3